Info

WordS

Internet
Cyberespace
Info-tech

Florent GUSDORF
Professeur agrégé en classes préparatoires
Maître de Conférences à l'École polytechnique

John WISDOM
Agrégé de l'Universté
IMAC-Paris 2
Maître de Conférences à l'École polytechnique

Des mêmes auteurs, chez le même éditeur

- *Guide bilingue anglais-français du Cybermonde*, 288 p.

■ De Florent Gusdorf

- *Traductions (version) écoles scientifiques tome 3*, 256 p.
- *Traductions (version) écoles commerciales tome 4*, 224 p.
- *WORDS Médiascopie du vocabulaire anglais*, 704 p.
- *WORDS Terminales et classes préparatoires*, 256 p.
- *WORDS Classes préparatoires HEC*, 416 p.
- *WORDS Communications*, 240 p.
- *WORDS Business*, 304 p.
- *WORDS Techniques*, 384 p.
- *WORDS Politics*, 272 p.
- *WORDS Lycée*, 264 p.
- *WORDS Universités*, 264 p.
- Avec Levrard C., *Traduire la presse. Entraînement au thème anglais*, 192 p.
- Avec Manning A., *Traduire la presse, 2. Entraînement au thème anglais*, 160 p.
- Avec Lewis S., *L'A.B.C.D. du Q.C.M. d'anglais. Cahiers d'entraînement*, 320 p.
- Avec Manning A., *Le thème anglais. Pratique de la traduction*, 160 p.

ISBN 2-7298-6821-6

32 rue Bargue, Paris (15e).

Sommaire

Avant-propos

Words Internet est l'outil indispensable pour tous ceux qui, de l'étudiant au professionnel, sont soucieux de se familiariser avec les notions fondamentales des langages d'Internet et des nouvelles technologies de l'information. Il s'adresse aux étudiants des sections spécialisées de BTS, des Instituts Universitaires de Technologie, des écoles d'ingénieurs et des universités spécialisées dans le domaine des NTI. Il s'adresse également aux professionnels, ingénieurs et chercheurs en NTI, qui ont besoin de se familiariser avec le langage informatique et de communiquer en anglais dans le domaine des nouvelles technologies.

Words Internet s'inscrit dans la lignée des ouvrages de la collection Words précédemment paru aux éditions Ellipses. Il se veut une photographie aussi complète et récente que possible de tous les aspects NTI : outre un vocabulaire technique décrivant l'aspect matériel, on y trouve les mots et expressions en contexte décrivant les problèmes de société qu'ont provoqué les révolutions dans les communications à l'ère d'Internet et du téléphone portable. Par la richesse de ses rubriques et la variété du lexique, *Words Internet* offre ainsi la possibilité de traiter, à l'oral comme à l'écrit, des grandes révolutions technologiques de ces dernières années. Dictionnaire thématique, *Words Internet* peut être utilisé dans le cadre d'une discussion, pour la rédaction d'un rapport, d'un compte rendu ou d'un exposé. Il offre à l'utilisateur la possibilité d'acquérir, d'approfondir son vocabulaire et de perfectionner ses connaissances.

Words Internet est un ouvrage généraliste. Panorama complet sur les inventions de la dernière décennie du XXe siècle, il se veut accessible au grand public. Suivant un procédé à présent éprouvé, les chapitres se présentent sous la forme d'un bilan raisonné des différentes inventions qui ont émaillé ces dernières années. Le vocabulaire est mis en contexte ; sa lecture claire permet d'éviter tout contresens sur l'emploi et le maniement des concepts. Des listes portant sur l'argot de l'Internet, les smileys et les acronymes viennent compléter l'ouvrage.

Chapitre I

Cyberspace
Le Cyberespace

1. General background — *Généralités*

the cyber age	*l'ère du tout numérique*
the advent of the cyber age	*l'avènement de l'ère du tout numérique*
the cyber revolution	*la cyber révolution*
cyberscape	*le cyberespace*
cyberindustry	*l'industrie informatique*
cyberculture	*la culture informatique*
cyberart	*le cyberart*
cyberian	*le cyberien (langage du cyberespace)*
cyberphobia	*la cyberphobie / la peur irrationnelle des ordinateurs*
cybertechnology	*la technologie informatique*
a cybernaut	*un voyageur du cyberespace*
a cybernerd	*un mordu du cyberespace*
a cyber-guru	*un cyber-gourou*
a cybercafé	*un cybercafé*
cyberphilia	*la cyberphilie*
cybercrud	*jargon informatique incompréhensible*
a cyberholic (= cyber + alcoholic)	*un accro du cyber*
cyberaddiction	*la « cybernéticomanie »*
a cyberartist	*un artiste cyberspatial*
a cyberpunk	*un cyberpunk (rebelle du cyberespace)*
a cybertribe	*une cyber-tribu*
a Cyberzine / a Web-zine (= electronic magazine) ≠ a paper zine	*un magazine électronique*

2. Virtual reality — *La réalité virtuelle*

virtuality	*la virtualité*
virtual reality (VR)	*la réalité virtuelle*
Virtual Reality Modeling Language (VRML)	*VRML (langage de création et de manipulation d'images en 3D)*
a virtual address	*une adresse virtuelle*
the virtual community	*le village virtuel*
the virtual world	*le monde virtuel*
a virtual reality company	*une entreprise spécialisée en réalité virtuelle*
a virtual museum	*un musée virtuel*
enhanced virtual vision	*la vision virtuelle en 3D*
3D (= 3 dimension / three-dimensional)	*(en) trois dimensions*
a voxel (= VOlume ELement)	*un voxel*
an electronic sensor	*un capteur électronique*
a spatial matrix	*une matrice spatiale*
an octree	*un arbre octal*
a virtual reality simulator	*un simulateur de réalité virtuelle*
stereoscopic vision	*la vision stéréoscopique*
a cyberglove / a data glove	*un gant de données*
a data suit	*un habit / costume de données*
an eyetracker	*un capteur du regard*
a sensory tracker	*un capteur sensitif*
virtual reality goggles	*lunettes / casque de réalité virtuelle*
eyephones / head-mounted display (HMD)	*un visiocasque / un casque de visualisation*
force reflection / force feedback	*le retour d'effort*
a flight simulator	*un simulateur de vol*

3. Digitisation — *La numérisation*

a digit	*un chiffre*
digital / numerical / numeric	*(à affichage) numérique*
to digitize	*numériser*
the digital age	*l'ère numérique*
the digital world	*le monde numérique*
digital technology	*la technologie numérique*
a digital computer	*un ordinateur numérique*
a digital library	*une bibliothèque numérique*
to go digital	*adopter le tout numérique*
digital compression	*la compression numérique*
to digitize / to digitise images	*numériser des images*
digitization	*la numérisation / scannérisation*
digitizing	*la discrétisation*
digital data	*données numériques*

a digital converter / a digitizer	*un convertisseur numérique*
a digital-to-analog decoder	*un décodeur analogique-numérique*
digital display	*affichage numérique*
three-dimension representation	*la représentation tri-dimensionnelle*
interactive-television	*la télévision interactive*
an interactive show	*un programme interactif*
to interact	*faire de l'interactivité*
a set-top box	*un boîtier de décodage*
a cable-television company	*un câblo-opérateur*

4. The digital studio — *Le studio numérique*

Siliwood (= Silicon Valley + Hollywood)	*Siliwood (le cinéma numérisé)*
the digital movie business	*le cinéma numérique*
an image digitiser	*un numériseur d'images*
a 3D image	*une image en trois dimensions*
voomies (= virtual movies)	*films interactifs*
digital technology	*la technologie du numérique*
a virtual actor	*un acteur virtuel*
to synthesize digitally	*synthétiser numériquement*
digital effects	*effets numérisés*
a digital artist	*un artiste numérique*
to render movie stars irrelevant	*rendre les acteurs superflus / caducs*
a digital-production unit	*une unité de production numérique*
a digital effects specialist	*un expert en effets numériques*
digital animation	*animation numérique*
a computerized animation studio	*un studio d'animation informatisé*
picture processing / image processing	*le traitement d'image*

Chapitre II

The Internet
Internet

1. The World Wide Web — *Le Web*

1.1. General background — *Généralités*

Arpanet (Advanced Research Projects Agency)	*Arpanet (Agence pour les projets de recherche avancée)*
the Net / the Web / the Cloud / the Matrix / the Metaverse / the Datasphere	*le réseau / la toile (d'araignée)*
the World Wide Web (WWW) (3w)	*la toile mondiale*
the Information highway / infobahn	*les autoroutes de l'information*
a global computer network	*un réseau informatisé mondial*
a data highway	*une autoroute de données*
an interstate of information	*une autoroute d'informations*
a backbone	*une dorsale / une épine dorsale / une colonne vertébrale / un réseau national d'interconnexion*
the Internet backbone	*la dorsale Internet*
an Internet gateway	*une passerelle Internet*
a portal (ex.: Yahoo!, AOL)	*une passerelle d'accès*
a network for the masses	*un réseau destiné aux masses*
a newby / newbies (pl.)	*un nouveau venu sur Internet / un novice de l'Internet*
an all-purpose network	*un réseau multi-usages*
a Net-based programming language	*un langage de programmation pour le Net (exemple : Java)*
an Internet resource	*une ressource Internet*
netspeak	*le langage du Net*
netlag (= jet + lag)	*temps de réponse lent sur le Net*
netstorm	*problèmes techniques sur le Net*
an extranet	*un extranet*
an intranet	*un intranet*

a Family Net / FamNet)	*un réseau familial*
Internet ethics	*éthique Internet / netiquette*
interoperability	*interopérabilité*
an Internet-based company	*une société basée sur Internet*
an Internet host	*un ordinateur hôte Internet*
Internet traffic	*le trafic Internet*
transmission capacity	*la capacité de transmission*
Internet gridlock	*le blocage sur Internet / la saturation / la paralysie du réseau*

1.2. The Web — *La Toile*

to encompass millions of computers	*englober des millions d'ordinateurs*
to crisscross the globe	*quadriller la planète*
to span nations	*englober les pays*
to connect users worldwide	*relier les utilisateurs dans le monde entier*
a means of communication	*un moyen de communication*
the electronic Frontier	*la Frontière électronique*
techno-illiteracy	*l'analphabétisme informatique*
computer literacy	*le savoir-faire informatique*
the digital literati (= digerati)	*les spécialistes du numérique*
to be left behind in the information revolution	*être laissé à l'écart de la révolution informatique*
to go electronic	*se convertir à l'électronique*
to gain access to a worldwide market	*avoir accès à un marché mondial*

1.3. Web tools — *Les outils du Web*

Protocol/Internet Protocol (= full set of Arpanet protocols) (IP)	*ensemble de protocoles de communication utilisés pour gérer la circulation des données sur Internet*
TCP/IP (Transmission Control Protocol/Internet Protocol)	*protocole de transmission de fichiers par paquets de données*
IPNG (= IP Next Generation)	*nouvelle version du protocole IP*
SLIP (Serial Line Internet Protocol)	*protocole de transmission (compatibles IBM) (protocole de liaison à Internet)*
PPP (Point to Point Protocol)	*protocole point à point*
Telnet	*Telnet*
to Telnet	*se brancher sur un ordinateur distant (par le protocole d'émulation de terminal Telnet pour y travailler comme sur un terminal local)*

FTP (File Transfer Protocol)	*protocole de transfert de fichiers (répertoire)*
a Gopher (= go for)	*un gopher (application de recherche de fichiers archives)*
gopherspace	*espace du gopher*
HTML (Hypertext Markup Language)	*langage de description de page*
HTTP (Hypertext Transport Protocol)	*protocole de communication utilisé entre les serveurs du Web*
HTML support	*soutien HTML*
Hyper Text Mark-up Language (HTML) Internet Inbox	*permet la livraison à domicile de pages du Web par e-mail*
a hypertext document	*un document hypertexte / hypertextuel*
a hot spot	*un lien actif*
ASCII (American Standard Code for Information Interchange)	*tableau de codage des caractères du mode texte*
DNS (Domain Name Server)	*nom de domaine complet*
CU-see me (= see-you-see-me)	*système de visiophonie sur Internet*
shell access	*accès de base (sur machine Unix)*
a sound card	*une carte son / carte sonore*
digital radio	*la radio numérique*
Digital Audio Broadcasting	*diffusion audio-numérique*

1.4. The boon of the Internet — *Les avantages d'Internet*

an application software	*un logiciel d'application*
communications software	*logiciels de communications*
to benefit from high-capacity communications links	*tirer profit de liaisons de communications à grande capacité*
to offer a treasure trove of interesting and useful information	*offrir une mine de renseignements intéressants et utiles*
to shuffle vast quantities of text, voice and video to and from homes	*échanger de nombreux documents écrits, parlés et iconographiques entre les foyers*
a computerised service	*un service informatisé*
at the tap of a few keys	*au bout des doigts*
to cash in on cyberspace	*tirer profit du cyberespace*
to store information	*stocker de l'information*
a storage capacity	*une capacité de stockage*
to squeeze information	*comprimer des informations*
to blend text and sound	*mixer le texte et le son*
to interact	*faire de l'interactivité*
to dial up and get weather forecasts	*appeler pour avoir des informations météo*
to pay bills	*payer des factures*
to read the headlines	*lire les gros titres de la presse*
to see film reviews	*voir les critiques de film*
to send flowers	*envoyer des fleurs*

to buy clothes / airline tickets / household goods	*acheter des vêtements / des billets d'avion / des biens d'équipement ménager*
to play video games	*faire des jeux vidéo*
to clock up hundreds of dollars in access charges and telephone bills	*payer des centaines de dollars en frais d'accès et factures téléphoniques*
to reap the rewards of the Internet	*récolter les fruits d'Internet*

1.5. The Internet: the wild west of technology — *Internet : la nouvelle frontière technologique*

an emerging technology / an infant technology	*une technologie naissante*
a startup	*une jeune industrie / entreprise*
a revolution in communications	*une révolution dans les télécommunications*
to herald (in) a new age	*annoncer une ère nouvelle*
an information-based economy	*une économie à base d'informatique*
a hothouse of innovation	*un centre d'innovation / d'invention*
a hotbed of engineering knowhow	*un foyer de savoir-faire d'ingénierie*
a hotbed for the creation of digital technology	*un centre de création de la technologie numérique*
a powerhouse in chip design and digital imaging	*une mine pour la conception des puces et l'imagerie numérique*
a communications hub	*une plaque tournante pour les communications*
a research and development hub	*un pôle de la recherche et du développement*
to stay at the cutting edge	*rester à la pointe (du progrès)*
to be in the vanguard of the information age	*être à l'avant-garde de l'ère informatique*
to apply technology to people's everyday needs	*appliquer l'informatique aux besoins quotidiens de tous*
knowledge-based labor	*la main d'œuvre à base de connaissances / d'expertise*
the key to breakthroughs	*la clé du progrès*
to witness one of history's greatest technological transformations	*être témoin d'une des plus grandes transformations technologiques*
a growth industry	*une industrie d'avenir*
a software developer	*un fabricant de logiciels / un développeur de logiciels*
to team up in joint ventures	*s'associer*
a web of global communications	*un réseau mondial de communications*
an Internet entrepreneur	*un entrepreneur de l'Internet*
a wide-open market	*un marché ouvert à tous*
to miss out on a futuristic market	*laisser passer un marché d'avenir*

to spin out of control	*se dérégler / devenir incontrôlable*
an access charge	*un droit d'entrée*
a subnetwork	*un sous-réseau*
a producer / consumer of information	*un producteur / un consommateur d'informations*

2. Internet connection — *La connexion à Internet*

2.1. General background — *Généralités*

access to the Internet	*l'accès à Internet*
to access the Web	*avoir accès au Web*
to jack into the Internet	*se connecter à Internet*
to plug in	*se brancher*
to link up	*se connecter*
to enter the Net	*pénétrer sur Internet*
an Internet connection	*une liaison Internet*
a network connection	*une connexion sur réseau*
an Internet Access Provider (IAP) / a Net provider	*un fournisseur de services Internet / un prestataire de services Internet*
a subscriber	*un abonné*
to subscribe to	*s'abonner à / être abonné à*
a subscriber number	*un numéro d'abonné*
a username	*un nom d'utilisateur / un identifiant*
pay per view	*facturation à l'acte*
setup	*configuration*
POPs (points of presence)	*points de connexion au réseau*
a password	*un mot de passe*
a secret password	*un mot de passe secret*
an account password	*un mot de passe de compte*
an Internet address / an IP address	*une adresse sur Internet*
to tap into a program / a database	*se brancher sur un programme / une banque de données*
to pay a flat fee	*verser une contribution forfaitaire*
a pricing scheme	*un mode de paiement*
bandwidth	*la largeur de bande / la bande passante*
bit per second (bps)	*unité de mesure du débit des transmissions de données*
a dialer	*un service de télétraitement*
to dial up	*se connecter*
a dial up	*une ligne de connexion par téléphone*

2.2. Packets — *Les paquets*

a packet	*un paquet*
a packet of data / a data packet	*un paquet de données*
a packet of information	*un paquet d'informations*
a datagram	*un datagramme*
packet assembly	*assemblage de paquets*
packet disassembly	*le désassemblage de paquets*
packet switching	*la commutation de paquets*
packet sequencing	*ordonnancement de paquets*
packet transmission	*la transmission de paquets*
a packet terminal	*un terminal en mode paquets*
packetisation	*le groupage par paquets*
desequencing	*le déséquencement*
a packet assembler / disassembler (PAD)	*un assembleur de paquets / un désassembleur de paquets*
a call request packet	*un paquet d'appels*
Asynchronous Transfer Mode (ATM)	*commutation temporelle asynchrone*
real-time transmission	*transmission en temps réel*
band / pass band	*bande passante*
bandwidth	*largeur de bande / la bande passante*
base band	*bande de base*
broadband / wide band	*à large bande*
narrow band	*bande étroite*
frame relay	*le relais de trame*
a frame envelope	*une enveloppe de trame*
frame languages	*langages de trame*
throughput	*le débit / la capacité*
a node	*un nœud*
a router	*un routeur*
routing	*le routage*
a switch	*un commutateur*
a martian	*un martien / paquet d'informations mal orientées suite à une erreur de routage*

2.3. On-line / off-line — *En ligne / hors ligne*

on-line	*en ligne*
on-line information service	*service d'informations en ligne*
on-line processing	*le traitement en ligne / en direct*
on-line reference	*référence directement accessible*
off line	*hors ligne / autonome*
off-line equipment	*équipement non connecté*
off-line mode	*mode autonome*
off-line processing	*traitement en différé*
off-line storage	*mémoire autonome*

2.4. Logging — *Le branchement*

to log on / to log in	*se connecter sur*
log-in / log on / logon / logging-on	*le début de session / l'ouverture de session / le début de connexion*
to log off / to log out	*se déconnecter / quitter un système*
log-off / log-out / logging-off	*la fin de session*
a log-on procedure / a logging procedure	*une procédure d'initialisation / de branchement*
a log	*une session*

2.5. Internet access — *L'accès à Internet*

to access	*accéder à*
to access a file	*accéder à un fichier*
to access information	*accéder à des informations*
an access mode	*un mode d'accès*
an access path	*un chemin d'accès*
a critical path	*un chemin critique*
a channel	*une voie / un canal*
a digital channel	*un canal numérique*
a routing channel	*une voie d'acheminement*
a verification channel	*une voie d'acquittement*
an information channel	*une voie de données*
random access from...	*accès direct / aléatoire à...*
to gain access to...	*obtenir l'accès à...*
to grant access to...	*accorder l'accès à...*
to provide access to...	*fournir l'accès à...*
an access code	*un code d'accès*
access permission	*une autorisation d'accès*
keyed access	*accès par clé*
access denied	*accès refusé*
average access time	*le temps d'accès moyen (à)*
an access port	*un port d'accès*
access speed	*la vitesse d'accès*
direct access memory	*accès direct à la mémoire*
data break	*accès mémoire direct*
random access	*accès aléatoire*
read-write access	*accès en lecture et écriture*
remote access	*accès à distance*
sequential access	*accès séquentiel*

2.6. Request — *La requête*

a request	*une requête*
to query	*interroger / effectuer une requête*
to request	*demander*
to request access	*demander l'accès*

to make / issue a request	*soumettre une demande*
to grant a request	*accéder à une demande*
a request code	*un code de requête*
by general request	*à la demande générale*
as requested	*conformément à votre demande*
on request	*sur demande*
request for data transfer	*demande de transfert de données*
request for file	*demande de fichier*
request for reply	*demande de réponse*
request for retrieval	*demande de recherches*
a request language	*un langage de requêtes*
enquiry software	*requêteur*

3. Browsing — *La navigation*

3.1. Browsers — *Les navigateurs*

a browser (ex. : Netscape's Navigator and Microsoft's Explorer / Internet Explorer (IE)	*un navigateur / fureteur / butineur / explorateur*
browser software	*logiciel de navigation*
a browsing software / program	*un logiciel de navigation*
a Web-browsing software	*un logiciel de navigation sur le Web*
a net-browser	*un navigateur du Net*
a Web browser	*un navigateur Web*
to browse	*flâner / faire défiler (informatique) / surfer / consulter des documents*
browse / browsing facilities	*services de consultation informatique*
a browsing tool	*un outil de navigation*
the browser business	*l'industrie des logiciels de navigation*
to install a browser	*installer un logiciel de navigation*
a plug-in	*un module d'extension*

3.2. Navigating — *La navigation*

navigating / surfing	*la navigation*
an Internet user / a usenet / a Net user / a Net surfer / a Net rider / an Internaut / a net traveler / a net hopper / an infobahner / a Web-user / a web-user	*un internaute*
to navigate on the Internet / to net-surf / to Web-surf	*se déplacer / se promener / naviguer sur Internet*
to cruise down	*se promener*

to ride the information superhighway	*parcourir les autoroutes de l'information*
a navigating link	*un lien de navigation*
a tag	*une balise (HTML)*
a netscapade	*une escapade sur le Net / navigation sans but précis*

3.3. Search engines — *Les moteurs de recherche*

a search engine	*un moteur de recherche*
a search service	*un service de recherche*
a spider	*une araignée / un moteur de recherche qui constitue un index de sites Web*
a server	*un serveur*
server software	*logiciels serveurs*
reload	*ré-essayer*
search	*chercher*
find	*trouver*
an Internet retriever	*un moteur de recherche de données sur Internet*
to find / retrieve / deliver information	*retrouver / récupérer / apporter des renseignements*

3.4. Downloading — *Le téléchargement*

to load	*charger*
to download	*télécharger*
downloading	*le téléchargement*
loadability	*la possibilité de charger*
a load module	*un module de chargement*
downloadable	*téléchargeable*
to upload	*télécharger (de l'ordinateur au serveur)*

4. Websites — *Les sites Web*

4.1. General background — *Généralités*

a Website / a website / a Web site	*un site web*
a server	*un serveur*
an URL (Uniform Resource Locator)	*une adresse sur Internet*
an Internet name / address	*une adresse Internet*
an Internet account	*un compte sur Internet*
an applet	*un applet / un applicatif*
to run a Web site	*diriger un site Web*
a cool site	*un site branché*

a horror site	*un contre-site*
a hot list	*une liste de sites / signets favoris*
a webmaster	*un webmestre / un webmaster / un webmaître / un gestionnaire Web / un Maître de la Toile*
a bookmark	*un signet*
a bookmark list	*une liste de signets*
to bookmark	*placer un signet*
add bookmark	*ajouter un signet*
a hyperlink	*un hyperlien*
a hot zone	*une zone active*

4.2. Web pages — *Les pages Web*

a Web page	*une page Web*
a Web greeting page	*une page de bienvenue sur le Web*
a Web address	*une adresse Web*
a home page	*une page d'accueil / de garde*
an entry page	*une page d'entrée*
a repeat visitor	*un visiteur régulier*
a hit	*un hit / un contact*
a page hit	*une page hit*
a directory of Web pages	*un annuaire de pages Web*
a hot link	*une zone active*
random display	*affichage aléatoire*
to customize	*personnaliser*
InfoSeek Personal / a free customized page with lots of special features	*une page sur mesure comprenant des caractéristiques particulières*

4.3. Colours — *Les couleurs*

a background image	*une image d'arrière-plan*
an image map	*une carte image*
a hot zone graphic	*un graphisme à zones sensibles / cliquables*
navigating colours	*couleurs de navigation*
preloading images	*préchargement d'images*
bitmap images / raster images	*images bitmap*
vector images	*images vectorielles*

5. Newsgroups — *Les forums de discussion*

a newsgroup / a forum	*un forum de discussion (en temps différé) / un groupe de discussion / une messagerie collective*

a news server	*un serveur de nouvelles / un serveur de messages de forum*
a news posting	*un article / une contribution / un message de forum*
bulletin board service (BBS)	*BBS / micro-serveur / babillard électronique (Can.)*
a bulletin board	*un forum*
an Internet access package	*un kit d'accès à Internet*
Newsreader (PC) / Newswatch (Mac)	*logiciel de consultation et de participation aux newsgroups*
Usenet (= users' network)	*réseau des newsgroups*
to log on	*se connecter / se brancher*
to chat	*bavarder*
chat / chatting	*le bavardage*
a chatroom	*un forum de discussion*
a thread	*un sujet*
cross-posting	*envoi d'une même contribution à plusieurs newsgroups*
to post a message	*envoyer un message*
a Usenet posting	*un article / message Usenet*
a FAQ (frequently asked question)	*une question fréquemment posée*
Internews	*logiciel de lecture des newsgroups*
IRC (Internet Relay Chat)	*protocole de conversation en direct / messagerie directe*
the twilight zone	*zone d'Internet où se trouvent les opérateurs des IRC*
a MUD (Multi User Domain)	*un MUD (messagerie en trois dimensions)*
Netiquette	*règles de conduite sur le Net*
a Smiley	*un smiley (symbole en mode texte) / un souriant*
an emoticon (= emotion + icon)	*une émotiçône / emoticon*
flame / flaming	*réponse aggressive / hostile*
a flamer / flame warrior	*un auteur de réponses agressives / un polémiqueur*
a lurker	*un rôdeur / un badaud*
to uuencode	*uuencoder*
to uudecode	*uudécoder*
uu (= Unix-to-Unix)	*Unix-to-Unix*
to forward	*transmettre / faire suivre*
to disconnect	*se déconnecter*

6. E-mail — *La messagerie électronique*

6.1. General background — *Généralités*

e-mail / E-mail	*le courrier / la messagerie électronique*
to message	*envoyer un message*

an e-mail address	*une adresse de courrier électronique*
snail mail (= traditional mail)	*le courrier non électronique (= courrier traditionnel)* (snail : *escargot)*
papernet	*services postaux classiques*
to send an e-mail message	*envoyer un message électronique*
to make an e-mail connection	*communiquer par courrier électronique*
acknowledgement	*accusé de réception / acquittement*
route	*acheminement*
Eudora	*Eudora (logiciel de gestion du courrier électronique)*
Electronic Data Interchange (EDI)	*échange de données informatisées*
Electronic Data Interchange for Administration Commerce and Transport (EDIFACT)	*normes internationales d'échanges de données informatisées (EDI) entre partenaires d'affaires dans les domaines de l'administration, du commerce et du transport*
MIME (Multipurpose Internet Mail Extension)	*MIME (norme de simplification de transfert des dossiers)*
SMTP (Simple Mail Transport Protocol)	*protocole d'émission et de réception des messages électroniques*
Archie	*Archie (service d'indexation de fichiers)*
PEM (Privacy Enhanced Mail)	*système de cryptage optimisé du courrier électronique*
a file-indexing service	*un service d'indexation de fichiers*
a filename	*un nom de fichier*
a wildcard	*un joker / un caractère générique*
a listserv / a mailing list	*une liste de fichiers / une liste de diffusion*
a userid	*identité de l'utilisateur*
a domain	*un domaine (adresse électronique)*
a postmaster	*un responsable de serveur*
a split	*une coupure / une rupture*
a netslip	*une perte de connexion avec Internet*

6.2. The e-mail — *Le mel / l'e-mail*

a header	*une en-tête*
@ (at)	*(arobase) chez / à*
to	*destinataire*
from	*expéditeur*
Cc (carbon copy)	*copies conformes*
attachments	*dossier d'annexes*
a black hole	*un trou noir (courrier perdu)*
in	*corbeille d'arrivée des messages*

out	*corbeille d'expédition des messages*

7. The electronic trade — *Le commerce électronique*

7. 1. General background — *Généralités*

the electronic marketplace	*le marché électronique*
an electronic catalog	*un catalogue électronique*
to place an order	*passer commande*
to charge	*demander un prix*
to purchase	*acheter*
an electronic store / shop	*une boutique électronique*
an electronic company	*une société électronique*
an electronic bank	*une banque électronique*
potential capacity	*la capacité potentielle*
to establish an ongoing relationship with customers	*établir une relation durable avec les clients*

7.2. The electronic agora — *L'agora électronique*

on-line shopping	*achats en ligne*
to shop on line (CommerceNet)	*faire ses courses sur Internet*
Internet services	*services offerts par Internet*
commercial services	*services commerciaux*
an Internet service provider	*un fournisseur de services Internet*
to sell merchandise over the Net	*vendre des biens sur Internet*
to put up an electronic catalog	*éditer un catalogue électronique*
to sell via electronic catalog	*vendre par l'intermédiaire d'un catalogue électronique*
to update a catalog	*mettre un catalogue à jour*
an instant update	*une mise à jour instantanée*
an on-line shop	*un magasin en ligne*
an on-line library	*une bibliothèque en ligne*
to summon forth pages of information	*disposer de pages d'information*
to link buyers and sellers	*mettre acheteurs et vendeurs en relation*
to subscribe (to an electronic news stand)	*s'abonner (à un kiosque électronique)*
an electronic news summary	*un résumé électronique des informations / nouvelles*
an electronic mall	*un centre commercial électronique*
instant settlement of transaction	*le règlement instantané d'une transaction*
an Internet mailbox	*une boîte aux lettres sur Internet*
to provide easy access to information	*fournir un accès facile à l'information*

fast two-way flow of information between supplier and customer	*rapide va-et-vient de l'information entre fournisseur et client*
electronic money / funds transfer between businesses	*le transfert de fonds électroniques entre différentes sociétés*
pay-per-use charges for access to databases	*charges d'accès payées à la demande*
to help re-engineer a business	*contribuer à restructurer une entreprise*
to eliminate paperwork	*éliminer la paperasserie*
to speed up and cut the costs of routine work	*accélérer et réduire les coûts du travail routinier*
to eliminate postage and printing costs	*éliminer les coûts d'affranchissement et d'impression*

7.3. On-line advertising — *La publicité en ligne*

cybermarketing	*le cybermarketing*
on-line	*connecté / en ligne*
an online ad agency	*une agence de publicité en ligne*
to target the Internet market	*cibler le marché Internet*
to blanket personal mailboxes or public bulletin boards with advertising messages	*inonder les boîtes aux lettres ou les panneaux publics de messages publicitaires*
spam	*la publicité non désirée*
spamming	*la distribution de publicités non désirées*
to help promote products on the Internet	*aider à la promotion de produits sur Internet*
an interactive advert	*un message publicitaire interactif*
a hotbed of advertising and commercial activity	*un centre d'activités publicitaires et commerciales*
to get one's message across	*faire passer son message*
an Internet ad	*une publicité sur Internet*
a banner	*une oriflamme / un calicot*
a magic cookie	*un magic cookie (biscuit magique)*
to trace a surfer's path	*suivre un internaute à la trace*
to fit one's shopping preferences	*s'adapter aux goûts du consommateur*
an intelligent agent	*un agent intelligent*

8. Electronic cash — *La monnaie électronique*

an on-line transaction	*une transaction en ligne*
a payment transaction	*une transaction financière*
a cashless society	*une société sans argent liquide*

cybermoney / digital money / e-cash / ecash / digital cash / Internet money	*la monnaie électronique / argent numérique / le cyber argent*
electronic money	*argent électronique*
electronic currency	*la monnaie électronique*
the cyber-dollar / cyberbuck	*le cyber-dollar / le dollar électronique*
an account holder	*un titulaire de compte*
to handle long-distance payments	*opérer des transactions financières à distance*
a fund transfer	*un transfert de fonds*
electronic payment	*le paiement électronique*
an e-purse	*une bourse électronique*
an electronic payment system	*un système électronique de paiement*
electronic cash transfers	*transferts électroniques de capitaux*
paper money	*le papier monnaie*
a medium of exchange	*un moyen de paiement*
to pay one's bills	*payer ses factures*
to settle a bill	*régler une facture*
to bypass transaction costs / foreign exchange markets	*faire fi des coûts de transaction / des marchés des changes*
an electronic bank	*une banque électronique*
an electronic shopping mall	*un centre commercial électronique*
to buy from one's keyboard	*acheter en tapotant (sur son clavier)*
an encoding protocol	*un protocole / une procédure d'encodage*
an encoder	*un encodeur*
a data encoder	*un codeur de données*
a coded credit-card number on-line	*un numéro de code sur carte de crédit en ligne*
a smart card	*une carte à puce*
a reloadable chip	*une puce rechargeable*
traceable money	*argent dont on retrouve la trace*
untraceable	*dont on ne retrouve pas la trace*
untraceability (of money)	*argent dont on ne peut pas retrouver la trace*

9. Encryption — *Le cryptage*

9.1. General background — *Généralités*

encryption / coding / ciphering	*le cryptage / le chiffrement*
cryptoanalysis	*la crypto-analyse*
cryptography	*la cryptographie*
cryptology	*la cryptologie*
encryption technology / techniques	*technique / technologie de cryptage*

encrypted	*crypté / codé*
encrypted communications	*communications cryptées*
an encryption technique	*une technique de cryptage*
encrypted text	*texte chiffré*
to encrypt	*crypter / chiffrer*
a cryptogram	*un cryptogramme*
a cryptographer	*un cryptographe*
a cryptology expert	*un expert en cryptage*
authentication	*authentification*
a signature	*une signature*
en encryption key	*une clé de chiffrement*
decryption	*le décryptage / le déchiffrement*
decoding	*le décodage*
a decoder	*un décodeur*
a decryption key	*une clé de déchiffrement*
a backdoor key	*une clé de décryptage*
a public key	*une clé publique*
a public-key encryption system	*un système de cryptage à clé publique*
Private Communication Technology (PCT)	*technique de cryptage pour sécuriser les échanges commerciaux et financiers*

9.2. Encrypting messages — *Le cryptage des messages*

cryptographic protocols	*protocoles / procédures de cryptographie*
ciphertext	*message chiffré*
cleartext	*message en clair*
plain / clear text	*texte en clair / non crypté*
an algorithm	*un algorithme*
an uncrackable algorithm	*un algorithme indécryptable*
a coding system	*un système d'encodage*
an RSA encoding scheme	*un projet de codage RSA*
PGP (Pretty Good Privacy)	*PGP (logiciel de cryptage)*
a code element	*un codet / une combinaison de code / un mot de code*
a digital signature	*une signature numérique*
to create a digital signature	*créer une signature numérique*
a Clipper chip	*une puce de cryptage Clipper*
to use one's credit-card online	*utiliser sa carte de crédit en ligne*
a card-holder	*le détenteur d'une carte*
to address a concern	*répondre à une préoccupation*
to garble / jam messages	*brouiller des messages / rendre des messages incompréhensibles*
an access card	*une carte d'accès*
an electronic token	*un jeton électronique*
to issue an electronic token	*fournir un jeton électronique*
to present a code	*présenter un code*
to gain entry	*avoir accès*

to secure transactions	*sécuriser les transactions*
a mail bomb	*envoi massif de messages à une adresse donnée*
to mail bomb	*envoyer massivement des messages*
to be safe from hackers	*être à l'abri des pirates*
a security flaw	*une faille dans le système de sécurité*

9.3. "For eyes only" — *Ultra-confidentiel*

to keep electronic messages private	*préserver la confidentialité du courrier électronique*
confidentiality	*la confidentialité*
a confidential message	*un message confidentiel*
sensitive information	*renseignements ultra-secrets*
a classified document	*un document classé secret*
covert	*caché*
secrecy	*le secret*
official secrecy	*secret d'État*
professional secrecy	*le secret professionnel*
restricted information	*informations à diffusion restreinte*
mission-critical software	*logiciel d'importance stratégique*
safety-critical information	*logiciel à vocation de sécurité*
a privacy law	*une loi protégeant le droit à l'intimité*
to draw up a law	*élaborer une loi*

10. Securing the Net — *La sécurité sur le Net*

10.1. Cyber-crime — *La cybercriminalité*

Internet crime	*la délinquance sur Internet*
network-related crime	*la délinquance liée au réseau*
a cyber scoundrel / a cyberthief	*un pirate du cyberespace / un cyberdélinquant*
the info-snooper highway	*l'autoroute d'espionnage des données*
a computer crime	*un délit informatique*
an electronic intruder	*un intrus électronique*
a password sniffer	*un détecteur de mot de passe*
snooping	*escroquerie*
to snoop	*fureter / espionner*
a snoop	*un indiscret*
a snooper	*un escroc*
to infiltrate a network	*infiltrer un réseau*
to invade privacy	*pénétrer dans la vie privée*

to reach into a private data bank	*s'introduire dans une banque de données privée*
to kidnap secrets	*s'emparer de secrets*
an Internet security breach	*une brèche dans la sécurité d'Internet*
a hacker	*un passionné d'informatique / un pirate*
hacking	*le piratage*
to hack	*pirater*
to hack around	*bidouiller*
hacking skills	*dons de piratage / talents de pirate informatique*
a virus	*un virus*
to penetrate a system	*pénétrer dans un système*
a worm program	*une bombe / un programme destructeur*
an Internet worm	*une bombe Internet*
to wriggle out of control	*échapper à tout contrôle*
to steal a password	*dérober un mot de passe*
to filch a password	*chaparder un mot de passe*
to break into a computer	*s'introduire dans un ordinateur*
to crack military files	*décoder des dossiers militaires*
to tamper on the Internet	*agir frauduleusement sur Internet*
to tamper with information	*manipuler l'information*
to pry open	*percer / mettre à jour*

10.2. Cybersex — *Le cybersexe*

a pornographic site	*un site pornographique*
long-distance sex	*le sexe à distance*
telephone sex	*le téléphone rose*
hot chat	*Internet rose*
tinysex	*la drague sur Internet*
a sex-chat call	*un appel rose*
cyberdating	*les rendez-vous par ordinateur*
an online dating service (ex.: Match.Com, Confidential Connection, FLIRT—Find Love in Real Time—Online)	*un service de rencontres*
to key in one's criteria	*entrer ses critères*
adult entertainment	*l'industrie pornographique*
an on-line peepshow	*un spectacle pour voyeur en ligne*
paedophilia	*la pédophilie*
a paedophile	*un pédophile*
censorware	*censuriciel*
blocking software	*logiciel de filtrage / verrouillage / dispositifs techniques de filtrage*
a blacklist	*une liste noire*
to prevent access	*empêcher l'accès*
to protect young browsers	*protéger les jeunes internautes*

a rating (for Web sites)	*un classement (pour sites Web)*
to sanction indecency	*réprimer la pornographie*
the Communications Decency Act (CDA) (USA) (1996)	*Loi sur la communication de matériel à caractère pornographique*
to violate the First Amendment	*violer le Premier amendement*
freedom of information	*la liberté d'information*
the American Civil Liberties Union (ACLU) (USA)	*association américaine de défense des libertés civiles*
unconstitutional	*anticonstitutionnel*

10.3. Cyber warfare — *Le cyber-terrorisme*

cyber terrorism	*le cyber-terrorisme*
a cyber attack	*un cyber attentat*
a cyber attacker	*un cyber terroriste*
information warfare	*la guérilla informatique*
to wage cyber warfare	*mener une guerre contre les systèmes informatiques*
an invisible enemy	*un ennemi invisible*
a terrorist attack	*un attentat terroriste*
to protect a country from a peril	*protéger un pays d'un péril*
to destroy computer systems	*détruire les systèmes informatiques*
to create havoc	*provoquer le chaos*
to cripple computer systems	*paralyser les systèmes informatiques*
to disable	*mettre hors d'état de fonctionner*
to monitor the cyber threat	*surveiller les menaces sur les systèmes informatiques*
to be vulnerable to cyber attack	*être la proie possible d'attaques contre les systèmes informatiques*
to hack into / to penetrate government computer systems	*pénétrer dans les systèmes informatiques des gouvernements*
to break into a computer	*pénétrer dans un ordinateur*
vulnerability to cyber attack	*la vulnérabilité aux attaques lancées par des terroristes contre les systèmes*

10.4. Cybersecurity — *La sécurisation du Net*

a computer-security expert	*un spécialiste de la sécurité sur Internet*
to shield the Net	*protéger le Net*
to safeguard computers	*protéger les ordinateurs*
security features	*consignes de sécurité*
a security scheme	*un plan de sécurité*
to lock out intruders	*empêcher l'accès aux intrus*

to thwart intruders	*écarter les intrus*
to erect a barrier	*installer une barrière*
a firewall	*un coupe-feu*
a firewall between internal networks and the Internet	*une barrière de sécurité (entre les réseaux internes et Internet)*
to monitor Internet security	*surveiller la sécurité sur Internet*
access control	*le contrôle d'accès*
a backdoor	*une porte de sécurité*
a lock	*un verrou*
a security lock	*un verrou de protection*
a dead-lock	*un verrou mortel / une étreinte fatale*
interlock / latching	*le verrouillage*
a protection key	*une clé de protection*
attack	*tentative d'accéder à un système informatique protégé*
to keep unwanted visitors out	*écarter les intrus*
to keep company secrets in	*protéger les secrets de l'entreprise*
a secure Web browser	*un navigateur de réseau sécurisé*
to pull oneself off the network	*se retirer du réseau*
to glean information	*recueillir des informations*
a trusted computer	*un ordinateur fiable*
to gain unauthorized entry	*entrer sans autorisation*
software piracy	*le piratage de logiciels*
computer evidence	*preuves informatiques*

10.5. Cyberlaw — *La cyber-législation*

a cybercop	*un cyberflic*
a cybersleuth	*un détective du cyberespace*
to police cyberspace	*réglementer le cyberespace*
to regulate the Internet	*réglementer Internet*
a computer-crimes unit	*un service chargé de la répression des délits informatiques*
computer security	*la sécurité informatique*
a computer-crime law	*une législation contre les délits informatiques*
to patrol the Net	*faire des rondes sur Internet*
computer evidence	*preuves informatiques*
to gather evidence	*recueillir des preuves*
a copyright act	*une loi sur la propriété intellectuelle*
to copy files	*copier des dossiers*
a filtering program / a filter	*un filtre*
a "text filtering" function	*une fonction de filtrage des documents*
to limit people's access to the Net	*limiter l'accès au réseau*
to fence in cyberspace	*clôturer le cyberespace*
to pit libertarians against government	*opposer les libertaires aux pouvoirs publics*

to censor	*censurer*
censorship	*la censure*
to bypass censorship	*passer au travers de la censure*
to close down a site	*fermer un site*
to register with the national broadcasting authority	*se faire connaître auprès des autorités nationales de diffusion*
to subject users to strict guidelines	*soumettre les utilisateurs à des règles strictes*
to break the law	*violer la loi*
a lawbreaker	*un délinquant*
to draft laws of cyberspace	*rédiger des lois du cyberespace*
to abide by the law	*respecter la loi*
a law-abiding Net user	*un internaute respectueux des lois*

11. Cyberculture — *La cyberculture*

11.1. The Internet and politics — *Internet et la politique*

an authoritarian regime	*un régime autoritaire / une dictature*
to be suspicious of the Internet	*se méfier d'Internet*
to devise a filtering system	*mettre au point un système de filtre*
to screen e-mail	*passer le courrier électronique au crible*
to keep pornography out	*interdire la pornographie*
religious material	*documents religieux*
seditious	*séditieux*
a standard	*une norme*
to apply a standard	*appliquer une norme*
unworkable standards	*normes ingouvernables*
a digital jihad	*une guerre sainte numérique*
to wage a jihad	*mener une guerre sainte*
to protect one's cultural values	*protéger ses valeurs culturelles*
to close down portions of the Net	*fermer certaines parties du Net*
to ban hatespeak	*interdire les discours haineux*
to discourage anti-semitism	*décourager l'anti-sémitisme*
to bar groups promoting racism	*interdire les groupes qui prônent le racisme*
to restrict access	*limiter l'accès*
to crack down on cybersleaze	*réprimer la corruption cybernétique*
to monitor e-mail	*surveiller le courrier électronique*
PICS (Platform for Internet Content Selection)	*logiciel Microsoft permettant d'éviter les programmes à caractère sexuel ou violent*
to clamp down on piracy	*réprimer le piratage*
to bring piracy rates down	*réduire les taux de piratage*

11.2. Teledemocracy — *La télédémocratie*

to put politics online	*mettre la politique en ligne*
to gain access to pending legislation	*avoir accès aux projets de lois en débat*
to re-empower voters	*revitaliser la participation électorale*
to revitalize democracy	*revigorer la démocratie*
to expand individual voting	*accroître la participation électorale*
to vote by modem	*voter par modem*
to give a speech on the Internet	*prononcer un discours sur Internet*
to keep track of a bill	*suivre l'évolution d'un projet de loi*
to set up a Web site	*ouvrir un site sur Internet*
to attract lobbies and issues groups	*attirer des lobbies et des groupes d'intérêts*
a computer-literate politician	*un élu rompu à la pratique de l'ordinateur*
a computer adviser	*un conseiller en informatique*
to embrace the spirit of the Net	*adopter l'esprit d'Internet*
to tote a laptop	*se déplacer avec son portable*
to vote from home	*voter depuis chez soi*
computerized voting	*le vote informatisé*
computer vote-fraud	*la fraude électorale informatisée*
a hard-to-reach voter	*un électeur difficile à atteindre*

11.3. The Internet and intellectual property — *Internet et la propriété intellectuelle*

copyright law	*la loi sur les droits d'auteur*
intellectual property	*la propriété intellectuelle*
TRIPS (trade-related aspects of intellectual property)	*aspects commerciaux de la propriété intellectuelle*
copyright theft	*le vol de droits d'auteur*
a bootlegged recording	*un enregistrement pirate*
bootlegged data	*données pirates*
a rights-holder	*un détenteur de droits*
to infringe copyright	*violer les droits d'auteur*
copyright infringement	*le non-respect des droits d'auteur*
copyright protection	*la protection des droits d'auteur*
to set international standards for copyright laws	*établir des normes internationales pour les droits de reproduction*
a copyright directive	*une directive sur les droits d'auteur*
to extend copyright protection to...	*étendre la protection des droits d'auteur à...*
to own rights	*posséder les droits*
to authorise reproduction	*permettre la reproduction*
copyrighted works	*œuvres protégées*
to be vulnerable to piracy	*être facilement piratable*

to copy an intellectual product	*copier un produit intellectuel*
a fake CD	*un faux CD*
a pirated CD	*un CD piraté*
a pirated copy	*une copie piratée*
piracy figures	*chiffres du piratage*
to tighten up copyright provisions	*renforcer les dispositions sur les droits d'auteur*
to charge users of intellectual property	*faire payer les utilisateurs de la propriété intellectuelle*
to track down the source of illicit material	*rechercher la source de documents illicites*
a copyright haven	*un paradis pour les droits d'auteur*

11.4. Internet addiction — *Les mordus d'Internet*

computer addiction	*« l'ordinatomanie »*
to be trapped in the Web	*être prisonnier du Web*
a disorder	*une maladie*
a Net addict / a nethead	*un accro du Net*
a Webaholic	*un mordu du Web*
a nerd / a techno-nerd	*un accro de l'informatique et de ses réseaux*
Interneters Anonymous / an Internet Addiction Support Group	*Internet Anonymes*
cyberaddiction	*la « nético-dépendance »*
addictive	*qui entraîne une accoutumance*
to be hooked on / addicted to...	*être mordu de...*
to struggle with one's obsession	*être aux prises avec ses démons*
to wean oneself from...	*se sevrer de...*
to kick the habit	*se désintoxiquer d'Internet*

11.5. The Internet and ethics — *La déontologie sur Internet*

a code of ethics	*un code de déontologie*
an ethics commission	*un comité d'éthique*
a set of guidelines	*un ensemble de directives*
Netiquette	*éthique sur le Net / nétique*
policing	*le maintien de l'ordre*
a controversial issue	*un problème controversé*
to elaborate	*mettre au point*
to wrestle with an issue	*être aux prises avec un problème*
to work out guidelines	*mettre des directives au point*
to defy an easy answer	*échapper à toute simplification*

Chapitre III

The Multimedia Age
L'ère du multimédia

1. General background — *Généralités*

the multimedia industry	*l'industrie du multimédia*
interactive multimedia	*multimédia interactifs*
a multimedia network	*un réseau multimédia*
multimedia software	*logiciels multimédia*
a multimedia distributor	*un distributeur multimédia*

2. CDs — *Les CD*

a compact disk / a Compact Disk	*un compact disque / un Compact Disk (n. anglais déposé) / un disque compact à mémoire morte*
a CD-A	*un disque audio compact*
a CD-DA	*un disque compact audio numérique*
a CD+G	*un CD+graphique (compact disque contenant des séquences vidéo)*
a CD-I (Compact Disc-Interactive)	*un disque compact interactif*
a CD-Photo	*un disque compact photo (Kodak)*
a CD-ROM (Compact Disc-Read Only Memory)	*un disque compact à lecture seule / à mémoire morte / un disque optique compact (doc)*
a CD-ROM XA (extended architecture)	*un CD-ROM à architecture étendue*
a CD-TV	*un disque compact vidéo*
a CD-WO	*un disque compact non réinscriptible*
a numerical optical disk (NOD)	*un disque optique numérique (DON)*

an Optical Read Only Memory disk (OROM)	*un disque non inscriptible*
a Write Once, Read Many disk (WORM) / Direct Read After Write disk (DRAW)	*un disque inscriptible par l'utilisateur*

3. Making CDs — *La fabrication d'un CD*

a track	*une piste*
an audio track	*une piste audio*
mastering	*le pressage*
disc mastering	*la création d'un disque matrice*
pre-mastering / premastering	*le pré-matriçage*
a mastered disc	*une matrice / un disque-maître*
a CD mastering facility	*une usine de pressage de matrices*
replicating equipment	*le matériel de reproduction / de pressage*
a laser beam	*un rayon laser*
pits	*micro-cuvettes*
coating	*le revêtement*
reflective coating	*le revêtement réflecteur*
photoresist	*la photorésine / la résine photosensible*
a CD player	*un lecteur CD*
to insert a disk	*insérer un disque (dans un lecteur)*

Chapitre IV

The Advent of the Computer
L'avènement de l'ordinateur

1. General background — *Généralités*

the Information Age	*l'Ère de l'informatique*
data processing technology	*la technologie informatique*
a computing center	*un centre de calcul*
an information warehouse	*un infocentre*
a data warehouse	*un magasin de données*
an information processing centre / a computer center	*un centre ordinatique*
microcomputing	*la micro-informatique*
robotics	*la robotique*
cryogenics	*la cryogénie (science de la production des très basses températures)*
micrography	*la micrographie*
a computer	*un ordinateur*
computer environment / peripheral equipment	*la péri-informatique*
remote processing	*la téléinformatique*
computer research	*la recherche en informatique*
a computer researcher	*un chercheur en informatique*
computery	*l'utilisation des ordinateurs*
a computer analysis	*une analyse par ordinateur*
a computer facility	*un service informatique*
a computer system	*un système informatique*
system integration	*intégration de systèmes*
system furniture	*le mobilier informatique*
computer efficiency	*la fiabilité informatique*
a functionnality	*une fonctionnalité*

a black box	*une boîte noire*
a resource	*une ressource*
a critical resource	*une ressource critique*
a multiuser resource	*une ressource partageable*
a user	*un utilisateur*
an end user	*un utilisateur final*
an intermediate user	*un utilisateur intermédiaire*

2. Computer sciences — *L'informatique dans tous ses états*

information technology / electronic data processing (EDP) / informatics / information science	*l'informatique (information + automatique)*
computer science / computational science / numerical science	*l'informatique (théorie) / la programmatique*
computer technology	*informatique (applications)*
computer graphics	*informatique graphique / infographie*
information technology (IT)	*l'informatique / la télématique*
departmental data processing	*informatique départementale*
distributed data processing	*informatique distribuée / répartie*
embedded data processing	*informatique embarquée*
business-oriented computing	*informatique professionnelle*
commercial computing	*informatique de gestion*
hobby computing	*informatique amateur*
home computing	*informatique familiale*
instructional computing	*informatique d'enseignement*
interactive computing	*informatique conversationnelle*
manufacturing data processing	*informatique industrielle*
mobile informatics	*informatique nomade / mobile*
multimedia computing	*informatique multimédia*
personal computing	*informatique individuelle*
scientific computing / scientific data processing	*informatique scientifique*
strategic business system	*informatique stratégique*

3. Computer manufacturing — *L'industrie des ordinateurs*

the computer industry / the computing industry	*l'industrie informatique*
the computer field	*le domaine des ordinateurs*
a computer manufacturer / a computer maker	*un fabricant d'ordinateurs*
an original equipment maker (OEM)	*un fabricant de PC*

an IT manufacturer	*un fabricant de matériels informatiques*
an information-industry conglomerate	*un conglomérat informatique*
a computer company	*une société d'ordinateurs*
a second source	*une seconde source*
computing equipment	*le matériel informatique*
a make of computer	*une marque d'ordinateurs*
a computer designer	*un concepteur d'ordinateurs*
the computer market	*le marché des ordinateurs*
a parallel computer	*un ordinateur concurrent*
a competitor	*un concurrent*
to supply (with)	*fournir*
a supplier	*un fournisseur*
a computer dealership	*un représentant en ordinateurs*
a distributor	*un distributeur*
a computer store	*un magasin d'ordinateurs*
the computer boom	*l'explosion de l'informatique*
to unveil a product	*dévoiler un produit*
to introduce a product	*présenter un produit*
to jump into the computer field	*se lancer sur le marché des ordinateurs*
to get a computer on the market	*lancer un ordinateur sur le marché*
to enter the computer race	*se lancer dans la bataille informatique*
to hit the market	*arriver sur le marché*
to have a monopoly on...	*avoir le monopole de...*
a monopoly of distribution	*un monopole de distribution*
unbundling	*le dégroupage / le débottelage*
to organize a seminar	*organiser un séminaire*
to demonstrate equipment	*faire une démonstration de matériel*
facilities management (FM) / outsourcing	*infogérance / externalisation*
a computer magazine	*une revue d'informatique*
a computer brochure	*une brochure d'informatique*

4. Standardization — *La normalisation*

a standard	*une norme*
to standardize	*standardiser*
an open standard	*un standard ouvert*
a proprietary standard	*une norme exclusive*
to define a standard	*définir une norme*
British Standard International (BST)	*organisme britannique de normalisation*
Japanese Industry Standard committee (JIS)	*organisme japonais de normalisation*

International Standards Organization (ISO)	*Organisation internationale de normalisation*
Joint Technical Committee (JTC)	*comité technique*
CMIS/CMIP (Common Management Information Service/Common Management Information Protocol)	*service commun d'informations de gestion / protocole et services normalisés par l'ISO (administration des réseaux)*
European Telecoms Standards Institute (ETSI)	*organisme de normalisation des télécommunications*

5. Computing evaluation — *La métrologie informatique*

linpack / benchmark	*linpack / programme d'essai*
a monitor	*un logimètre / un moniteur*
a hardware monitor	*un logimètre câblé*
a software monitor	*un logimètre programmé*
software monitoring	*la logimétrie*
program measurement	*la programmétrie*
efficiency / effectiveness	*performances*
efficiency measurement	*la mesure des performances*
a computer performance management system	*un système de gestion de performances des ordinateurs (SGPO)*
a mix	*un mix*
optimization	*optimisation*
an optimizer	*un optimiseur*

6. Liveware — *Le personnel informatique*

computer personnel	*le personnel informatique / les métiers de l'informatique*
a computer manager	*un chef de salle*
a computer engineer	*un ingénieur en informatique*
a computer scientist	*un informaticien / une informaticienne*
a computer technician	*un technicien en informatique*
programming personnel	*le personnel de programmation*
a computer operator / programmer	*un programmeur / une programmeuse*
a junior / senior programmer	*un programmeur débutant / confirmé*
a job scheduler	*un programmeur de travaux*
a programming analyst	*un analyste en programmation*
a programmer analyst / an analyst programmer	*un analyste programmeur*
a systems analyst	*un analyste en systèmes*
a key punch operator	*un opérateur sur cartes perforées*

a keyboard operator	*un claviste / un opérateur de saisie*
a console operator	*un pupitreur / une pupitreuse*
a supervisor	*un superviseur en programme*
a software expert	*un spécialiste en logiciel*
a data processing auditor	*un auditeur informatique*
an operations manager	*un chef d'exploitation*
a project manager	*un chef de projet*
operating staff	*le personnel d'exploitation (centre de calcul)*
a prime contractor	*un maître d'œuvre*
an owner	*un maître d'ouvrage*
an application engineer	*un ingénieur d'affaires*
a robotics engineer	*un roboticien / une roboticienne*
a sales engineer	*un ingénieur commercial*
an inspector field engineer	*un ingénieur de maintenance*
a system engineer	*un ingénieur système*
a customer engineer	*un ingénieur technico-commercial*

Chapitre V

Computer User-Friendliness
L'ordinateur convivial

1. The computer revolution — *La révolution informatique*

the computer revolution	*la révolution informatique*
the advent of the computer	*l'avènement de l'ordinateur*
man-machine communication	*le dialogue homme-machine*
interaction	*interaction*
interactivity	*interactivité*
man machine interface	*interface homme-machine*
an information system	*un système d'information*
computerland	*le pays de l'informatique*
the computer moves in	*l'ordinateur fait son entrée*
to hit home	*faire son entrée (sur un marché)*
to pervade an industry	*envahir une industrie*
to be crazy about computers	*être fou d'ordinateurs*
a computer buff	*un mordu de l'informatique*
a high performance machine	*une machine haute performance*
a second wave technology	*une technologie de la deuxième génération*
to spawn a new phase of a revolution	*passer à une nouvelle phase dans une révolution*
to ease users into the information age	*faire passer les utilisateurs en douceur dans l'ère de l'information*
to capitalize (on) / to cash in on	*tirer profit (de) / exploiter*
to computerize	*informatiser*
computerization	*l'informatisation*
the computerization of a country	*l'informatisation d'un pays*
management guidance	*un schéma directeur (d'informatisation)*
to feed into a computer	*mettre sur ordinateur*
ease of use	*accessibilité*
user-friendly / computer-friendly	*convivial*

user-unfriendly	*non convivial*
data processing law	*le droit de l'informatique*

2. Applications — *Les applications*

the computer field	*le champ d'application des ordinateurs*
versatility	*la souplesse d'emploi*
a utility function	*une fonction d'usage général*
a housekeeping function	*une fonction de gestion*
an application program	*un programme d'applications*
a problem-oriented language	*un langage d'application*
a commercial language	*un programme d'application commerciale*
an application package	*un progiciel d'application*
application programming	*la programmation d'applications*
an implementation system	*un système de mise en application*
to apply / to use to	*appliquer (à)*
machine learning	*apprentissage par machine*
to enlist a computer	*se faire aider par un ordinateur*
to help the physically disabled	*aider les handicapés*
to give access to hidden worlds	*accéder à des univers cachés*
imagery	*imagerie*
medical imagery	*imagerie médicale*

3. Teleinformatics — *La télé-informatique*

connectics	*la connectique*
telematics / telewriting	*la télématique*
an information network	*un réseau télématique*
teleconference	*la téléconférence*
data communication / telematics / telewriting	*la télé-écriture*
telemanagement	*la télégestion*
teleinformatics	*la téléinformatique*
teleprocessing (TP)	*le télétraitement*
a teleprinter	*un téléimprimeur*
a teletype	*un télétype*
a telecenter	*un centre de télétraitement*
a satellite work station	*une station de satellites*
a cordless telephone	*un téléphone sans fil*
a guided missile defense system	*un système de défense de missiles téléguidés*
a minitel videotex terminal	*un minitel*
an audiovideotex server	*un serveur audiovidéotex*

a multiprocessor	*une machine à plusieurs unités de traitement*
a word processor / a text processor	*un traitement de texte / un texteur*
an electronic library	*une bibliothèque électronique*
electronic money	*la monnaie électronique*
electronic mail / E-mail	*le courrier électronique*
an electronic directory	*un annuaire électronique*
electronic Yellow Pages	*Pages jaunes électroniques*
an electronic worksheet	*un bloc-notes électronique*
computer dating	*agence matrimoniale par ordinateur interposé*
computer shopping	*achats par ordinateur*
electronics politics	*la politique sur ordinateur*

4. Computer-aided technologies — *Les techniques de la xao*

4.1. General background — *Généralités*

parametric approach	*approche variationnelle*
computer monitoring technology	*la technologie assistée par ordinateur*
robotics	*la robotique*
a thinking machine	*une machine à penser*
electronic banking	*la banque électronique*
banking operations	*les opérations bancaires*
home banking services	*services bancaires à domicile*
office automation	*la bureautique*
microelectronics	*la microélectronique*
computer music	*la musique électronique*
design automation	*la conception automatisée*
job design	*la conception des tâches*
computer art	*le graphisme informatique*
computerized art restoration	*la restauration de tableaux assistée par ordinateurs*
computer-aided design (CAD)	*la conception assistée par ordinateur*
computer-aided engineering (CAE)	*l'ingénierie assistée par ordinateur (IAO)*
computer-aided software engineering (CASE)	*le génie logiciel assisté par ordinateur (GLAO)*
computer aided manufacturing (CAM)	*la fabrication assistée par ordinateur (FAO)*
computer-aided design and manufacturing (CAD/M)	*la conception et la fabrication assistées par ordinateur (CFAO)*
computer-aided group technology (CAGT)	*la technologie de groupe assistée par ordinateur (TGAO)*
computer-aided maintenance (CAM)	*la maintenance assistée par ordinateur (MAO)*

computer-aided software environment (CASE)	*atelier de génie logiciel*
computer-integrated manufacturing (CIM)	*la productique / la production informatisée*
desk top publishing (DTP) / desktop publishing (DP)	*la publication assistée par ordinateur (PAO)*
electronic publishing	*éditique*
desktop presentation	*la présentation assistée par ordinateur (PréAO)*
computer aided manufacturing management	*la gestion de production assistée par ordinateur (GPAO)*
computerized management	*la gestion informatisée*
computer control	*la gestion par ordinateur*
a computer department	*un service informatique*
to control inventory levels	*maîtriser les niveaux de stock*
to analyse muscle structure	*analyser la structure musculaire*
to gauge speed	*évaluer la vitesse*
to ferret out oil deposits	*déceler les gisements de pétrole*
to design cars	*concevoir des automobiles*
to design jet engines	*concevoir les moteurs d'avion*
the executive toy	*le jouet des cadres supérieurs*
a smartcard	*une carte à mémoire*
an electronic telephone card	*une télécarte*
a chip card	*une carte à puce*
to be encoded with prepaid amounts	*être prépayé*
an automated teller machine (ATM) / a cash dispenser	*un distributeur automatique de billets (DAB)*

4.2. Imaging systems — *Les systèmes d'imagerie*

imaging	*exposition d'image / insolation / le flashage*
imaging systems	*systèmes d'images / imageur / imageuse*
an imagemaker / imagesetter	*une flasheuse*
scanning	*la numérisation*
a scanned image	*une image numérisée*
a scanner	*un scanner / scanneur*
a drum scanner	*un scanneur à tambour*
a flatbed scanner	*un scanneur à plat*
a sheetfeed scanner	*un scanneur à rouleau*
typesetting	*la photocomposition*
engraving	*la photogravure*
electronic image processing	*le traitement électronique d'images*
a digitizer tablet	*une tablette à numériser*
a template	*un masque*
hard copy	*la copie sur papier*
soft copy	*la copie logicielle*

5. The computer and work — *L'ordinateur et le travail*

telecommuting	*le télétravail*
a telecommuter	*un télétravailleur*
to be user friendly	*être d'utilisation facile*
user friendliness	*la facilité d'utilisation*
versatile	*polyvalent*
versatility	*la polyvalence*
computer-aided manufacturing tasks	*la fabrication assistée par ordinateur*
computer graphics	*le graphisme par ordinateur*
to alter working habits	*modifier les habitudes de travail*
to rationalize one's work	*rationaliser son travail*
rationalization	*la rationalisation*
to upgrade the quality of work	*améliorer la qualité du travail*
to boost profitability	*améliorer la rentabilité*
to improve productivity	*améliorer la productivité*
to increase job satisfaction	*améliorer la satisfaction professionnelle*
to benefit the workforce	*profiter à la main d'œuvre*
storage capabilities	*capacités de stockage*
manipulation capacities	*capacités de maniement*
communication capabilities	*capacités de communication*
to make tasks easier	*faciliter les tâches*
to analyze	*analyser*
to process	*traiter*
image processing	*le traitement de l'image*
to record	*archiver*
to file	*classer*
a file	*un fichier*
a file label	*une étiquette de fichier*
an inverse file	*un fichier inversé*
to label	*référencer*
to sort	*trier*
to select	*choisir*
to list	*faire une liste de*
to catalogue	*cataloguer*
to centralize	*centraliser*
to standardize	*homogénéiser*
to keep track of	*rechercher*
to calculate	*calculer*
to plan	*organiser*
to contribute to	*contribuer à*
to be indispensable	*être indispensable*
to do without	*se passer de*
to hook into another computer	*se brancher sur un autre ordinateur*

6. Home automation — *La domotique*

integrated home system (IHS)	*la domotique*
a home automation system	*un système domotique*
the intelligent home	*la maison intelligente*
the electronic cottage	*la chaumière électronique*
a smart building	*un bâtiment intelligent*
a cottage industry	*une industrie à domicile*
to run a business from home	*diriger une affaire depuis son domicile*
a home run business	*une affaire dirigée depuis son domicile*
home-based accounting	*la comptabilité à distance*
flexibility	*la souplesse d'utilisation*
flexible working hours	*horaires à la carte*
to improve working life	*améliorer le travail*
to eliminate routine drudgery	*supprimer le labeur quotidien*
to reduce stress	*réduire les tensions*
household applications	*applications familiales*
home budget management	*la gestion du budget familial*
to manage the family budget	*gérer le budget familial*
to help the disabled	*venir en aide aux handicapés*
remote-controlled	*commandé à distance / télécommandé*
a remote-control unit	*un module de commande à distance*

7. The computer and education / training — *L'ordinateur et l'enseignement / la formation*

computer-based learning (CBL)	*éducation informatisée*
instructional computing	*informatique d'enseignement*
an author language	*un langage d'auteur*
an instructional computer	*un ordinateur d'enseignement*
computer aided instruction / computer assisted instruction (CAI)	*enseignement assisté par ordinateur (EAO)*
computer-aided learning (CAL)	*apprentissage assisté par ordinateur*
computer-aided language learning (CALL)	*enseignement des langues assisté par ordinateur*
computer-aided teaching (CAT)	*enseignement assisté par ordinateur (EAO)*
computer-aided translation (CAT)	*la traduction assistée par ordinateur (TAO)*
machine-aided translation (MAT)	*la traduction automatique*
computer-based education (CBE)	*enseignement assisté par ordinateur (EAO)*

computer-based training (CBT)	*la formation assistée par ordinateur*
computer-managed instruction (CMI)	*enseignement informatique interactif / enseignement géré par ordinateur*
to help the student's homework	*aider l'étudiant dans son travail*
a word processor	*un traitement de texte*
text editing	*le traitement de texte*
to write a typescript	*rédiger un manuscrit*
to correct / to patch / to rewrite	*corriger*
correction / override	*la correction*
an error-correcting code (ECC)	*un code correcteur d'erreurs*
an error-checking code	*un code de détection-correction des erreurs*
a patch	*un patch / une correction de programme / un programme-rustine*
a correction routine / a patch routine / a patcher	*un programme de correction*
to avoid needless typing	*éviter une dactylographie inutile*
to learn a language	*apprendre une langue*
to translate	*traduire*
translation	*la traduction*
a translator	*un traducteur*
to train minds	*former les esprits*
to motivate people to think	*stimuler la réflexion*
to be logical	*être logique*
to substitute for a teacher	*remplacer un enseignant*
to be housebound	*être cloué à la maison*
to be bed-ridden	*être alité*
to be an invalid / to be disabled	*être handicapé*

8. Computer games — *Les jeux d'ordinateur*

funware / gameware	*ludiciels*
a computer game	*un jeu d'ordinateur*
video entertainment software	*le logiciel de jeu vidéo*
game-oriented	*spécialisé pour le jeu*
video games	*les jeux vidéo*
a video arcade game	*un jeu vidéo de salle*
a gameware	*un logiciel de jeu*
a game paddle	*une manette de jeu*
a gaming package	*un progiciel de jeux d'entreprise*
a business game	*un jeu d'entreprise*
an adventure game	*un jeu d'aventures*
a simulation game	*un jeu de simulation*
an arcade game	*un jeu d'arcade*
a computerised game	*un jeu informatisé*
a role playing game (RPG)	*un jeu de rôles*

shoot'em up	*jeu de baston*
to play a computer game	*faire un jeu d'ordinateur*
a cartridge	*une cartouche de jeu*
a joystick	*une manette de jeux*
a paddle	*un boîtier / une manette de commande*
graphics	*graphisme*
a sprite	*un élément graphique programmable*
tournament mode	*mode tournoi*
cheat code	*code qui permet de tricher*
combo	*enchaînement / combinaison de coups*
a warp zone	*une zone de passage d'un monde à un autre*
a game addict	*un passionné de jeu*
the electronic hearthside	*l'âtre électronique*
a computer widow	*une épouse trompée par l'ordinateur*

Chapitre VI

Computer Science
La science de l'informatique

1. Computication — *L'ordinatique*

1.1. General background — *Généralités*

computer literacy / computication	*ordinatique*
computer speak / computerese / compuspeak	*le jargon informatique*
computer think	*la pensée informatique*
data processing method	*la méthode informatique*
data processing methodology	*la méthodologie informatique*
to be computer literate	*savoir se servir d'un ordinateur / avoir des notions d'informatique*
to be computer smart	*s'y connaître en ordinateurs*
to be computer dependent	*dépendre des ordinateurs*
the information haves / the information have-nots	*les experts en informatique / les ignorants en informatique*
a computer addict	*un passionné d'ordinateurs*
a computer buff	*un mordu de l'informatique*
a nerd	*un fêlé / un crétin / un neuneu*
a computer-nerd	*un informaticien débile*

1. 2. Computing — *Le traitement de données*

calculation / computation	*le calcul*
computing resources	*moyens informatiques*
computing fundamentals	*les bases de l'informatique*
a remote computing system	*un système de télétraitement*
compute mode	*le mode calculateur*
computer resource allocation	*affectation des ressources calcul*
numerical computation	*le calcul numérique*
numerical control	*la commande numérique*

computer capacity	*la capacité de calcul*
computational / computing power	*la puissance de calcul(s)*
arithmetic speed / calculating speed	*la vitesse de calcul*
computing power	*énergie informatique*
a computron	*un calcutron*
a computing process	*un processus de calcul*
a computational load	*une charge de calcul*
a computational error	*une erreur de calcul*

1.3. Calculating — *Le calcul*

computation	*le calcul*
numerical computation	*le calcul numérique*
analog computation	*le calcul analogique*
formal computation	*le calcul formel*
vectorized computation	*le calcul vectorisé*
a state / a status	*un état*
a vector	*un vecteur*
vectorization	*la vectorisation*
a complement	*un complément*
a constant	*une constante*
conversion	*la conversion*
an alphabet	*un alphabet*
an international alphabet	*un alphabet international*
Boole algebra	*algèbre de Boole*
a base radix	*une base de numération*
octal numeration	*octal*
a clock	*une horloge*
a baud	*un baud*
binary	*binaire*
a binary digit	*un bit*
a digit	*un chiffre*
a logon	*un logon*
a shannon	*un shannon*
a byte	*un octet (code un caractère)*
a register capacity	*une capacité de registre*
a key / label / tag	*une clé*

2. Logic — *La logique*

the heuristic method	*la méthode heuristique*
fuzzy logic	*la logique floue*
algorithmic	*algorithmique*
induction	*le raisonnement par récurrence*
recursion	*la récursivité*
inference	*déduction*
an inference rule	*une règle de déduction*

a production rule	*une règle de production / de réécriture*
an arithmetic operation	*une opération arithmétique*
a Boolean operation	*une opération logique / booléenne*
a logical equation	*une équation logique*
an operand	*un opérande*
an operator	*un opérateur*
a combinatorial operator	*un opérateur combinatoire*
a parallel functional unit	*un opérateur parallèle*
a serial operator	*un opérateur série*
a sequential operator	*un opérateur séquentiel*
a dual operation	*une opération duale*
a dyadic operation	*une opération dyadique*
a monadic operation	*une opération monadique*
an expression	*une expression*
a symbol	*un symbole*
a logical symbol	*un symbole logique*
a mnemonic symbol	*un symbole mnémonique*
a numeral / a numeric digit	*un chiffre*
a digit	*un chiffre décimal*
BCD (binary coded decimal)	*DCB (décimal codé binaire)*
a halt number	*une valeur d'arrêt*
an even / odd number	*un nombre pair / impair*
a check digit	*une valeur de contrôle*
a gap digit	*une valeur de service*
a cipher key / a ciphering key	*une clé de codage / de chiffrement*
binary	*binaire*
a nanosecond	*une nanoseconde (un dix milliardième de seconde)*
an algorithm	*un algorithme*
a genetic algorithm	*un algorithme génétique*
time stamp	*estampille*
mega	*1 million*
an integer	*un nombre entier*
a fixed point	*une virgule fixe*
giga FLOPs (billions of op/sec)	*milliards d'opérations/seconde*
to match	*apparier*
a diagram	*un diagramme*
an object module	*un module objet*
a source module	*un module source*
a load module	*un module chargeable*
a layout	*un schéma*
a level	*un niveau*
A/D	*analogique / numérique*
analog	*analogique*
an analog signal	*un signal analogique*
an A/D converter / Analog to Digital Converter (ADC)	*un convertisseur analogique / numérique*
truncation	*la troncature*
a register	*un registre*
an arithmetic register	*un registre arithmétique*

specifications	*consignes*

3. Analysis — *L'analyse*

data analysis	*analyse de données*
functional analysis	*analyse fonctionnelle*
lexical analysis	*analyse lexicale*
dump	*analyse mémoire*
object-oriented analysis	*analyse par objet*
architectural analysis	*analyse organique*
structured analysis	*analyse structurée*
syntactic analysis	*analyse syntaxique*

4. Items of information — *Les composants de l'information*

4.1. Bytes — *Les octets*

a byte (by eight)	*un octet / un multiplet (par extension)*
a four bit byte	*un quartet*
an 8 bit byte	*un octet*
a kilobyte (KB)	*un kilo octet / kilooctet (Ko)*
a megabyte (Mo)	*un mégaoctet*
least significant byte (LSB)	*octet de poids faible*
most significant byte (MSB)	*octet de poids fort*
a bit (b) (binary digit)	*un chiffre binaire (1 ou 0) / un bit*
an eight-bit byte	*un octet / un mot de huit bits*
a four-bit word / byte	*un quartet*
a two-bit word / byte	*un doublet*

4.2. Bits — *Les bits*

a bit per inch (bpi)	*un bit par pouce*
a bit per second (bps)	*un bit par seconde*
bits per second (BPS)	*bits par seconde (BPS)*
a binary digit	*un bit*
a binary code	*un code binaire*
a megabit (Mb)	*un mégabit (Mb) (un million de bits)*
a gigabit	*un milliard de bits*
a check bit	*un bit de contrôle*
information bits	*bits utiles*
a least significant bit (LSB)	*un bit de plus faible poids*
a most significant bit (MSB)	*un bit de plus fort poids*
a parity bit	*un bit de parité*
a sign bit	*un bit de signe*
a status bit	*un bit d'état*

upper bit	*binaire supérieur*
a bit string	*une chaîne de bits*
a bit rate	*le débit binaire*
density	*la densité*
delimitation	*la délimitation*
deserialization	*la désérialisation*
a flag	*un drapeau*

4.3. Shifts — *Les décalages*

a shift	*un décalage*
right shift	*le décalage vers la droite*
left shift	*le décalage vers la gauche*
arithmetic shift	*le décalage arithmétique*
circular shift / rotation	*le décalage circulaire*
logical shift	*le décalage logique*

5. Binary process — ***La procédure de binarisation***

binary logic	*la logique binaire*
a binary digit	*un chiffre binaire*
binary zero	*chiffre binaire 0*
binary one	*chiffre binaire 1*
a binary code	*un code binaire*
to binarize	*binariser / transformer en données binaires*
binary conversion	*la conversion binaire*
binary-to-decimal conversion	*conversion binaire-décimal*
decimal-to-binary conversion	*conversion décimal-binaire*
binary encoding	*le codage binaire*
a binary encoding method	*une méthode de codage binaire*
binary-coded	*codé en binaire*
a binary-coded decimal number	*un nombre décimal codé en binaire*
a binary-coded notation	*une représentation codée en binaire*
a binary character	*un caractère binaire*
information bit content	*contenu d'informations en code binaire*
a binary operation	*une opération binaire*
a binary format	*un format binaire*
a binary sequence	*une séquence binaire*
a bit map / binary representation	*une / la représentation binaire*
a binary image	*une image binaire*
a binary integer	*un nombre entier binaire*
a binary parity check	*un contrôle de parité binaire*
a binary search	*une dichotomie*
a binary-coded character	*un caractère codé binaire*
a binary chain / a bit string	*une chaîne binaire*
binary data interchange	*échange de données binaires*

Chapitre VII

Computer Networks
Les réseaux d'ordinateurs

1. General background — *Généralités*

a data switching exchange	*un centre de commutation de données*
a telecenter	*un centre de télétraitement*
an operating center	*un centre de traitement*
an open shop	*un centre de traitement à accès libre*
a workstation	*un poste de travail informatique*
a master station	*un poste principal*
a network of workstations	*un réseau de postes de travail informatiques*
a computer system	*un système informatique*
computers and communications (C&C)	*informatique et télécommunications*
a configuration	*une configuration*
hardware configuration	*la configuration matériel*
a computer / a data processing machine	*un ordinateur / un calculateur*
a host processor / a central computer	*un ordinateur central / un calculateur hôte*
a main unit / a main frame / a master unit	*une unité centrale*
an accumulator	*un accumulateur*
a computer bank	*un fichier central*

2. Types of networks — *Les types de réseaux*

network topology	*la topologie de réseau*

a C&C system / network	*un réseau informatique et télématique*
an information network	*un réseau télématique*
a circuit switching network	*un réseau à commutation de circuits*
a teleprocessing network	*un réseau de télétraitement*
an Integrated Service Digital Network (ISDN)	*un réseau numérique à intégration de services (RNIS)*
a narrow band ISDN / N-ISDN	*un RNIS bande étroite*
a broadband ISDN / BISDN	*un RNIS bande large / large bande*
a factory network	*un réseau de terrain*
a homogeneous network	*un réseau homogène*
a heterogeneous network	*un réseau hétérogène*
a Local Area Network (LAN)	*un réseau local d'entreprise (RLE)*
a LAN Emulator	*un protocole d'interconnexion de réseaux locaux*
a LAN manager	*un logiciel de gestion de réseau local*
a LAN server	*un serveur / système d'exploitation de réseau local*
a mesh network	*un réseau maillé*
a message switching network	*un réseau à commutation de messages*
data switching	*la commutation des données*
message switching	*la commutation de messages*
packet switching	*la commutation par paquets*
a Metropolitan Area Network (MAN)	*un réseau métropolitain / urbain*
a neural network	*un réseau de neurones / neuronal*
a Packet Data Network (PDN)	*un réseau à paquets de données*
a packet switching network	*un réseau à commutation par paquets*
an office network	*un réseau bureautique*
Programmable Logic Array (PLA)	*un réseau logique programmable*
Field Programmable Logic Array (FPLA)	*réseau logique programmable par l'utilisateur*
a switched network / a Public Switched Telephone Network (PSTN)	*un réseau RTC (téléphonique commuté)*
a star network	*un réseau étoilé*
a supervision network	*un réseau de supervision*
a transport network	*un réseau de transport*
a Value Added Network (VAN)	*un réseau à valeur ajoutée (RVA)*
a Wide Area Network (WAN)	*un réseau étendu / grande distance*

Chapitre VIII

Software
Le software (logiciels)

1. General background — *Généralités*

software engineering	*le génie logiciel*
configuration management	*la gestion de configuration*
computer-aided software environment (CASE)	*atelier de génie logiciel*
software analysis / programming	*la programmatique*
the software market	*le marché des logiciels*
a software developer	*un créateur / concepteur de logiciels*
a software manufacturer / a software maker / a software vendor	*un fabricant de logiciels*
a software firm	*une société de logiciels*
a software house	*une société de conseils en informatique*
a software broker	*un courtier en logiciels*
a software publisher	*un éditeur de logiciels*
a software license	*une licence d'utilisation de logiciel*
firmware driven	*contrôlé par progiciel*
software piracy / theft	*le piratage de logiciels*
software configuration	*la configuration logicielle*
software design	*la conception logicielle*
software flexibility	*la souplesse du logiciel*
software publishing	*l'édition de logiciels*

2. Types of software — *Les types de logiciel*

accounting software	*logiciels de comptabilité*
application software	*applicatif / applications*
a user-oriented package	*un applicatif*

a software product / program	*un logiciel*
background software	*logiciels enfouis*
basic software	*logiciels de base*
bridgeware	*logiciels de transition*
bundled software	*logiciels livrés avec le matériel*
canned / common software	*logiciels classiques*
communications software	*logiciels de communication*
courseware	*logiciels de formation*
cross software	*logiciels croisés*
custom software / middle software / customized software	*logiciels personnalisés*
design and drafting software	*logiciels de conception et de dessin*
desktop-publishing (DTP) software	*logiciels de micro-édition*
firmware / romware	*élasticiels*
firmware	*microprogrammes*
freeware / public domain software	*gratuiciels / logiciels publics*
gameware / funware	*ludiciels*
shareware	*partagiciels / logiciels contributifs / à contribution volontaire*
groupware	*collectique (logiciels pour le travail en groupe) / le travail de groupe / synergiciel*
image-editing software	*logiciels de traitement d'images*
in-house software	*logiciels maison*
integrated software	*logiciels intégrés*
middleware	*logiciels médians / logiciels intermédiaires / logiciels d'intermédiation*
problem-oriented software	*logiciels d'application*
proprietary software	*logiciels propriétaires / propres à un constructeur*
upgrade	*logiciels de mise à niveau*
a stub	*un talon (logiciel d'interface)*
system software	*logiciels d'exploitation*
teachware	*didacticiels*
telesoftware	*logiciels téléchargés*
vapourware	*logiciel fantôme / impalpable*
word-processing software	*logiciels de traitement de texte*
a software giveaway	*un logiciel gratuit*
a software pack	*un ensemble logiciel / un kit logiciel*
a smart suite	*une suite logicielle / intégrée*

3. Modules — *Les modules*

a deck module	*un module logiciel*
a binary deck	*un module binaire*
an analysis module	*un module d'analyse*
an interface module	*un module d'interface*

a link module	*un module lié*
a load module	*un module chargeable et exécutable*
a relocatable deck	*un module translatable*
a run module	*un module exécutable*
a master module	*un module maître*
a master source module	*un module de référence*
a source module	*un module source*

4. Packages — *Les progiciels*

a software product / a program product / a software package	*un progiciel*
a program package	*un logiciel*
an accounting package	*un progiciel comptable*
an application package	*un progiciel d'application*
a business package	*un progiciel de gestion*
a course package	*un progiciel didactique*
a gaming package	*un progiciel de jeux*
a graphics package	*un grapheur*
an integrated package	*un logiciel intégré*
a utility package	*un logiciel utilitaire*

5. Systems — *Les systèmes*

system activity	*l'activité d'un système*
a computer system / a data processing system	*un système de traitement / un système de gestion des données*
a system program / an operating system	*un système d'exploitation*
a subsystem	*un sous-système*
a shell	*un exécuteur de commandes*
an artificial-intelligence (AI) system / an expert system (ES)	*un système expert (SE)*
a knowledge base	*une base de connaissances*
a knowledge base management system	*un système de gestion de bases de connaissances*
a data base management system (DBMS)	*un système de gestion de bases de données (SGBD)*
an assembly system	*un système écrit en assembleur*
a card system	*un système à carte*
core only environment	*un système à mémoire centrale*
a disc system	*un système à disque*
a filing system	*un système à fichiers*
a hard disc system	*un système à disque dur*

an implementation system	*un système de mise en application / un système d'implémentation*
an information system	*un système informatisé*
an instruction system	*un système à base d'instructions*
a job accounting system	*un système de comptabilité des travaux*
a memory-based system	*un système à base de mémoire*
an open operating system	*un système d'exploitation ouvert*
an operating system (OS)	*un système d'exploitation*
a programming system	*un système de programmation*
a proprietary operating system	*un système d'exploitation fermé*
a retrieval system	*un système de recherche*
a support system	*un système d'aide à la programmation*

6. Unix — *Unix*

an operating system (OS)	*un système d'exploitation*
multitasking	*multi-tâche*
multi-user	*multi-utilisateur*
a kernel	*un noyau*
a shell	*une enveloppe*
a tool kit	*une bibliothèque d'outils*
pipe	*tube*

7. Models — *Les modèles*

a model	*un modèle*
a client-server model	*un modèle client-serveur*
a data model	*un modèle de données*
an object model	*un modèle objet*
an object-oriented model	*un modèle orienté objet*
a processing model	*un modèle de traitement*
a software quality model	*un modèle de qualité du logiciel*
a relational model	*un modèle relationnel*

8. Management — *La gestion*

a software and computing services company	*une société de services et d'ingénierie informatique (SSII)*
an industrial software and computing services company	*une société de services et d'ingénierie informatique industrielle (SSIII)*
management	*la gestion / tâches*

a file manager	*un gestionnaire de fichiers*
a network manager	*un gestionnaire de réseau / une plate-forme d'administration de réseau*
technical data management	*la gestion des données techniques*
performance monitoring / tuning	*la gestion des performances*
software qualimetry	*la qualimétrie d'un logiciel*
software quality	*la qualité du logiciel*
project review	*la revue de projet*
validation	*la validation*
downsizing	*la micromisation*
to downsize	*micromiser*
risk management	*la gestion du risque*
software invoicing	*la facturation du logiciel*

9. Software configuration — *La configuration*

to set up (software)	*configurer / installer un logiciel*
implementation	*installation / implémentation*
to run software	*exécuter un logiciel*
an enhancement	*une amélioration*
upgrade	*mise à niveau*
to configure	*configurer*
reconfiguration	*la reconfiguration*
an uninstaller	*un logiciel de désinstallation*
configuration management	*la gestion de configuration*
configuration state	*état de configuration*
middleware	*logiciel de configuration*

10. Software reengineering — *La ré-ingénierie de logiciel*

forward engineering	*ingénierie de conception première*
redocumentation	*la redocumentation*
restructuring	*la restructuration*
reverse engineering	*la rétro-ingénierie*
regression	*la régression*
software reusability	*la réutilisabilité du logiciel*
software reuse	*réutilisation du logiciel*
traceability	*la traçabilité*
a trace	*une trace*

Chapitre IX

Artificial Intelligence (AI)
L'intelligence artificielle (IA)

1. General background — *Généralités*

knowledge engineering	*le génie cognitif / ingénierie de la connaissance*
a knowledge engineer	*un cogniticien / un cognitologue*
Ada	*langage Ada*
an AI program	*un programme en IA*
an AI programming language	*un langage de programmation en IA*
distributed artificial intelligence	*intelligence artificielle distribuée*
multiagent	*multi-agent*
inductive inference	*inférence par induction*
inductive learning	*apprentissage par induction*
goal-based	*à base de buts*
microworld	*le micromonde*
representation	*la représentation*
real world	*le monde réel*
algorithmic complexity	*la complexité algorithmique*
fuzzy logic	*la logique floue*
a fuzzy set	*un ensemble flou*
fuzzy set theory	*la théorie des ensembles flous*
a hidden Markov model	*un modèle de Markov caché*
an expert system (ES) / a knowledge-based system / a knowledge-processing system	*un système expert (SE)*
a knowledge base	*une base de connaissances*
knowledge-based	*à base des connaissances*
a facts base	*une base de faits*
an inference	*une inférence*
an inference engine	*un moteur d'inférence*
a meta-rule	*une méta-règle*
meta-knowledge	*la méta-connaissance*

2. AI techniques — *Les techniques en IA*

AI techniques	Les techniques en IA
decision-making	*la prise de décision*
problem-solving	*la résolution des problèmes*
a decision tree	*un arbre de décision*
to prune	*élaguer*
pruning	*élagage*
forward-chaining	*le chaînage-avant*
backward-chaining	*le chaînage-arrière*
backtracking	*le retour en arrière*
case-based planning	*la planification à base de cas*
case-based reasoning	*le raisonnement à base de cas*
conflict resolution	*la résolution de conflits*
candidate definition	*la définition de candidats*
candidate elimination	*élimination de candidats*
default reasoning	*le raisonnement par défaut*
a states space	*un espace d'état*
a state	*un état*
a states graph	*le graphe des états (d'un problème)*
a control structure	*une structure de contrôle*
general-search	*la recherche générale*
breadth-first search	*la recherche en largeur*
a genetic algorithm	*un algorithme génétique*
depth-first search	*la recherche en profondeur*
heuristic	*une heuristique*
an evaluation function	*une fonction d'évaluation*
an ordered search	*une recherche ordonnée*
the cost	*le coût*

3. Applications — *Les applications*

Applications	Les applications
natural-language processing (NLP)	*le traitement du langage humain*
simulation of human-problem solving	*la simulation de résolution de problèmes humains*
forms processing	*le traitement des formes*
machine translation	*la traduction automatique*
optical character recognition (OCR)	*la reconnaissance optique de caractères*
character recognition	*la reconnaissance de caractères*
pattern recognition	*la reconnaissance des formes*
speech recognition	*la reconnaissance de la parole*
speech synthesis	*la synthèse de la parole*
a vocoder	*un vocodeur*
linguistic analysis	*analyse linguistique*
pattern recognition	*la reconnaissance de structures*
pattern matching	*appariement de formes / filtrage*
neurocomputing	*la neuro-informatique*

4. Connectionism — *Le connexionnisme*

connectionism	*le connexionnisme / le neuromimétisme*
connectionist	*connexionniste*
a neural network	*un réseau de neurones artificiels*
Hebbian learning rule	*la règle d'apprentissage de Hebb*
active learning	*apprentissage actif*
passive learning	*apprentissage passif*
reinforcement learning	*apprentissage rénforcé*
perceptron (simple neural network model)	*le perceptron (modèle simple de réseau de neurones artificiels)*
a Hopfield network	*un réseau de Hopfield*
a synaptic weight	*un poids synaptique*
a threshold	*un seuil*
a layer	*une couche*
an additional layer of neurons	*une couche supplémentaire de neurones*
a hidden layer	*une couche cachée*
a threshold function	*une fonction de seuil*
a sigmoid function	*une fonction sigmoïdale*
a directed graph	*un graphe orienté*

5. Agent technology — *La technologie des agents*

5.1. General background — *Généralités*

an agent	*un agent*
end-user model	*le modèle de l'utilisateur*
an expert system	*un système expert*
cognition	*la cognition*
cognitive engineering	*ingénierie cognitive*
a cognitive engineer	*un cogniticien*
a cognitive agent	*un agent cognitif*
a reactive agent	*un agent réactif*
case-based reasoning	*le raisonnement à base de cas*
intelligent tutoring (teaching the user)	*le tutorat intelligent*
interactivity	*interactivité*
message-based events	*événements déclenchés par un message*
time-based events	*événements déclenchés en fonction du temps*

5.2. Types of agents — *Les types d'agents*

an intelligent agent / a personal helper	*un agent intelligent*
a proxy agent	*un agent par procuration*
a message transfer agent	*un agent de transfert de message*
a user agent	*un agent utilisateur*
a knowbot (knowledge robot)	*un robot du savoir / de connaissance*
a bot	*un bot (robot Internet)*
a mobot (mobile robot)	*un robot mobile*
a softbot (software robot)	*un robot logiciel*
a desktop agent	*un agent de bureau*
an Internet agent	*un agent Internet*
an intranet agent	*un agent intranet*

5.3. Internet agents — *Les agents Internet*

an Internet agent	*un agent Internet*
information filtering	*le filtrage des informations*
information retrieval	*la récupération des informations*
notifiers / notifying agents	*agents notificatifs*
collaborating agents	*agents collaboratifs*
task-specific agents	*agents à tâche prédéterminée*
Web monitoring agents	*agents de surveillance des sites Web*
e-mail agents	*agents du courrier électronique*
shopping agents	*agents d'achat*
to query prices and availability	*demander le prix et la disponibilité d'un produit*
to negotiate prices	*négocier les prix*

5.4. Desktop agents — *Les agents de bureau*

a desktop agent	*un agent de bureau*
an operating system agent	*un agent du système d'exploitation*
an application agent	*un agent d'application*
application suite agents (suite = group of applications)	*agents de groupes d'application*

5.5. Agent characteristics — *Les caractéristiques*

an agent characteristic	*la caractéristique d'un agent*
automation	*automatisation*
personalisation / customisation	*la personalisation*
task sharing	*le partage des tâches*
monitoring	*la surveillance*
autonomy	*autonomie*

actuation (affecting its environment)	*la mise en action*

5.6. Types of learning — *Les types d'apprentissage*

dialog-based learning	*apprentissage par le dialogue*
memory-based learning	*apprentissage à base de mémoire*
neural-network-based learning	*apprentissage par réseau de neurones*
case-based learning	*apprentissage à base de cas*

5.7. Skills — *Les compétences*

a skill	*une compétence*
task-level skills	*compétences au niveau des tâches*
knowledge skills	*compétences au niveau des connaissances*
developer-specified skills	*compétences déterminées par le développeur*
system-specified skills	*compétences spécifiées par le système*
agent communication	*la communication des agents*
interface with users	*interface avec les utilisateurs*
interface with other agents	*interface avec d'autres agents*
a query	*une requête*

5.8. Agent functions — *Les fonctions des agents*

observation	*observation*
instruction	*instruction*
confirmation	*la confirmation*
notification	*la notification*
to accept	*accepter*
to decline / refuse	*refuser*
to edit	*éditer*
to fine-tune	*affiner*
to postpone	*remettre à plus tard*
to perform	*exécuter*

5.9. Agent attributes — *Les attributs des agents*

an attribute	*un attribut*
a belief / beliefs (pl.)	*une croyance / croyances*
behaviour / behavior (US)	*le comportement*
memory	*la mémoire*
task performing	*exécution de tâches*
decision making	*la prise de décision*

Chapitre X

Languages
Les langages

1. Types of languages — *Les types de langages*

a language machine / a computer language / a machine language	*un langage machine*
a second / third / fourth generation language (2GL / 3GL / 4GL)	*un langage de la 2e / 3e / 4e génération (un LG2 / LG3 / LG4)*
a language level	*un niveau de langage*
an algorithmic language	*un langage algorithmique*
an artificial language	*un langage artificiel*
an assembly language / an external language	*un langage d'assemblage / un assembleur*
assembly	*assemblage*
disassembly	*le désassemblage*
an author language	*un langage auteur*
a basic language	*un langage de base*
a basic assembly language (BAL)	*un langage d'assemblage de base*
a compilable language	*un langage compilable*
a functional language	*un langage fonctionnel*
a general purpose language	*un langage d'usage général*
a higher language / a high level language	*un langage évolué / de haut niveau*
an internal machine language	*un langage machine*
an interpreter	*un interpréteur*
a list processing language	*un langage de traitement de liste*
a logical language	*un langage logique*
a machine-oriented language	*un langage adapté à la machine*
a metalanguage	*un métalangage*
a microlanguage	*un microlangage*
a natural language	*un langage naturel*
an object language	*un langage objet*
an object-oriented language	*un langage orienté objet*

a page description language	*un langage de description de page*
a problem-oriented language	*un langage adapté à un type de problème*
a procedure oriented language	*un langage procédural / impératif*
a programming language (PL)	*un langage de programmation*
a query language	*un langage d'interrogation*
a simulated / simulation language	*un langage de simulation*
a source language	*un langage source*
a symbolic language	*un langage symbolique*
a time sharing language	*un langage en temps partagé*
concrete complexity	*la complexité concrète*
grammar	*la grammaire*
context free grammar	*la grammaire hors contexte*
context sensitive grammar	*la grammaire dépendant du contexte*

2. Classes — *Les classes*

2.1. General background — *Généralités*

a class	*une classe*
a metaclass	*une métaclasse*
an attribute	*un attribut*
an instance	*une instance*
instanciation	*instanciation*
inheritance	*héritage*

2.2. Java — *Java*

an applet	*un applet / un applicatif / une mini-application*
virtual machine	*machine virtuelle*
a class	*une classe*
a field	*un champ*
an attribute	*un attribut*
public	*public*
private	*privé*
protected	*protégé*
static	*statique*
object	*objet*
method	*méthode*
instance	*instance*
to instanciate	*instancier*
to implement	*implémenter*
a mother class	*une classe mère*
a daughter class	*une classe fille*
inheritance (is_a)	*héritage*

exception	*exception*
composition (has_a)	*assemblage*
a component	*un composant*
a thread	*un thread / mini-programme*
control structure	*structure de contrôle*
while	*while*
do... while	*do... while*
for	*for*
a test	*un test*
if... / if... else	*if... / if... else*
a break	*un saut de sortie / un break*
a switch	*un test multiple*
a loop	*une boucle*
a string	*une chaîne de caractères*
an array	*un tableau*
a vector	*un vecteur*

3. Examples of languages — *Exemples de langages*

ALGOL (Algorithm Oriented Language)	*l'ALGOL (à orientation mathématique) (langage de programmation destiné à l'écriture des algorithmes)*
APL (A Programming Language)	*l'APL (langage de programmation A)*
BASIC (Beginners All-purpose Symbolic Instruction Code)	*le BASIC (langage polyvalent)*
COBOL (Common Business-Oriented Language)	*le COBOL (langage à orientation commerciale)*
FORTRAN (formula transition)	*le FORTRAN (langage à orientation scientifique)*
logo	*le logo (à vocation pédagogique)*
OLTP (On Line Transaction Processing)	*le traitement de la transaction en ligne*
PASCAL	*le langage PASCAL*
PL/1 (programming language 1)	*le PL/1 (gestion et mathématiques)*
SAP (Symbolic Assembly Program)	*le SAP (programme d'assemblage symbolique)*
word processing	*le traitement de texte*
a microprogram	*un microprogramme*

4. Software design — *La conception des logiciels*

4.1. General background — *Généralités*

software analysis	*la programmatique*

job analysis	*analyse des tâches*
a scheduler	*un allocateur*
allocation	*allocation*
static allocation	*allocation statique*
topdown analysis	*analyse descendante*
a program's blueprint	*le plan détaillé d'un programme*
an algorithm	*un algorithme*
a flowchart / a block diagram	*un ordinogramme*
to flowchart	*tracer un ordinogramme*
an information flowchart	*un graphe d'informations*
a template flowchart	*un modèle d'ordinogramme*
a chart	*un diagramme / un graphique*
a reference	*une référence*
cross references	*références croisées*
external entry	*référence externe*

4.2. Syntax — *La syntaxe d'un langage*

an alphabet	*un alphabet*
an international alphabet	*un alphabet international*
a coding system	*la syntaxe d'un langage*
syntactical	*syntaxique*
a parameter / an argument	*un paramètre*
a global variable	*une variable globale*
a local variable	*une variable locale*
a mixed variable	*une variable composée*
a static variable	*une variable statique*
a function	*une fonction*
a precondition / a predicate	*un prédicat*
a vector	*un vecteur*
vectorial	*vectoriel*
vectored	*vectorisé*
modulo	*modulo*
concatenation	*la concaténation*
to concatenate	*concaténer*
a linkage	*un couplage*
to increment	*incrémenter*
to decrement	*décrémenter*
program proving	*la preuve de programme*

4.3. Procedures — *Les procédures*

a procedure	*une procédure*
a procedural language	*un langage à procédures*
a procedural operator / a procedure statement	*un opérateur de procédures / une instruction de procédure*
an assignment	*une affectation*
an assignment statement	*une instruction d'affectation*

declarative section	*la partie déclaration*
procedure call	*appel de procédure*
procedure chaining	*enchaînement de procédures*
end declarative	*fin des déclarations de procédure*
an initiating procedure	*une procédure de lancement*
a procedure identifier	*un identificateur de procédure*
an aborting procedure	*une procédure d'abandon*
an invoked procedure	*une procédure d'appel*
a logging procedure	*une procédure d'initialisation*
a use procedure	*une procédure d'utilisation*

4.4. Types of codes — *Les types de codes*

an ASCII code	*un code ASCII / code à sept éléments*
an absolute / actual code	*un code machine*
an actual code / a one-level code	*un code absolu*
an alphabetic code	*un code alphabétique*
an alphanumeric code	*un code alphanumérique*
a bar code	*un code à barres*
a BCD transcode	*un code à six éléments*
a binary code	*un code binaire*
binary coded decimal	*code décimal codé en binaire / code DCB*
a character binary code	*un code binaire de caractères*
an Extended Binary Coded Decimal Interchange Code	*un code EBCDIC*
an error correcting code	*un code correcteur d'erreur*
an error detecting code	*un code détecteur d'erreur*
a function code / an op-code / an input / ouput code	*un code d'opération / un code d'introduction / de sortie*
an instruction code	*un code opération*
an invalid code	*un code périmé*
a halt code	*un code d'arrêt*
a mnemonic code	*un code mnémonique*
an n-level code	*un code à* n *moments*
an order code	*un code d'opérations*
a select code	*un code de sélection*
a symbolic code	*un code symbolique*
a user code	*un code d'utilisateur*
a visibility mask	*un code d'appel*

4.5. Codification — *La codification*

to code / to encode	*coder / programmer*
to run code	*exécuter*
to write code	*écrire des lignes de programme*
to compile code	*compiler*

uncoded	*non codé*
a coding scheme	*un code*
an instruction code	*un code d'instructions*
a code line	*une ligne de programme*
a line adpater	*un adaptateur de ligne*
a code sheet	*une feuille de programmation*
a code converter	*un convertisseur de code*
code cracking	*le cassage de code*

4.6. Instructions — *Les instructions*

activation	*activation*
a statement / a program command	*une instruction*
a machine instruction	*une instruction machine*
an instruction set	*un jeu d'instructions*
multiprocessing	*le multitraitement*
an instructor processor	*un processeur*
instruction decoding	*le décodage d'instruction*
instruction stream	*le flot d'instructions*
instruction termination	*la fin d'instruction*
an immediate instruction	*une instruction immédiate*
an imperative / relative instruction	*une instruction absolue / relative*
a macro-instruction	*une macro-instruction*
a declaration	*une déclaration*
an assignment statement	*une instruction d'affectation*
a clear statement	*une instruction d'effacement*
a transmit instruction	*une instruction d'émission*
an entry / input / output instruction	*une instruction d'entrée / de sortie*
a privileged instruction	*une instruction privilégiée*
an execute order	*une instruction d'exécution*
a fetch instruction	*une instruction d'extraction*
a header order / an initial order	*une instruction de début*
a sign-off	*une instruction de fin de travail*
a housekeeping instruction	*une instruction de service*
an instruction complement	*une liste / table d'instructions*
a branch	*un saut / un branchement*
to branch	*faire un saut / brancher*
implied branch	*le branchement indirect*
a one-shot branch	*un branchement unique*
a conditional / unconditional branch	*un branchement conditionnel / inconditionnel*

4.7. Loops — *Les boucles*

a loop	*une boucle d'itération*
a nested loop	*une boucle imbriquée*
an open loop	*une boucle ouverte*
an endless loop	*une boucle fermée*

a feedback loop	*une boucle d'asservissement*

4.8. Cycles — *Les cycles*

a cycle	*un cycle*
a base cycle	*un cycle de base (machine)*
an instruction cycle	*un cycle d'instruction*
a machine cycle	*un cycle machine*
a memory cycle	*un cycle mémoire*
a read cycle	*un cycle de lecture*
a write cycle	*un cycle d'écriture*

4.9. Operations — *Les opérations*

an operation	*une opération*
operations per second (OPS)	*opérations par seconde*
an agenda	*une liste d'opérations*
AND	*ET / intersection*
an AND operation	*une opération ET*
a burst operation	*une opération en continu*
OR	*OU*
inclusive OR	*OU inclusif / réunion*
wired OR	*OU câblé*
phantom OR	*OU fantôme*
an either OR operation	*une opération logique OU*
an exclusive OR operation (XOR)	*une opération OU exclusif*
a hands-off operation	*une opération non assistée*
a joint denial operation (NOR)	*une opération NON-OU*
a not and operation (NAND)	*une opération NON-ET*
a null instruction	*une instruction vide / nulle*
a red tape operation	*une opération d'entretien*
a retrieval operation	*une opération de restitution*
a search operation	*une opération de recherche*
a search key	*une clé de recherche*
a sequential operation	*une opération séquentielle*
a sysin / a sysout / an input / output operation	*une opération d'entrée / de sortie*
access	*accès*
access time	*le temps d'accès*
outer access	*accès distant*
frequency division multiple access	*accès multiple à répartition en fréquence*
time division multiple access	*accès multiple à répartition dans le temps*
direct memory access (DMA)	*accès direct à la mémoire*
outer access	*accès distant*

Chapitre XI

Data
Les données

1. Data processing — *Le traitement des données*

data processing (DP)	*le traitement des données*
data processing technology	*la technologie informatique*
data acquisition	*acquisition de données*
data broadcasting	*la diffusion de données*
data flow	*le flot de données / le flux de données*
transnational data flux	*le flux transfrontière de données*
electronic data interchange (EDI)	*échange de données informatiques*
exchange flow	*le volume des échanges*
business data processing	*informatique de gestion*
industrial data processing	*informatique industrielle*
scientific data processing	*informatique scientifique*
off-line processing	*le traitement autonome*
in-line data processing	*le traitement de données en ligne*
integrated information processing	*le traitement intégré des informations*
live running	*le traitement en temps réel*
overlap processing	*le traitement simultané*
data crunching	*le « broyage » des données*

2. Data structures — *Les structures de données*

scalar data types	*types de données scalaires*
structured data types	*types de données structurées*
list structure	*structure de liste*
ring structure	*la structure en anneau*
tree structure	*la structure en arbre / hiérarchisée*
the Boolean / logic / logical type	*le type booléen / logique*

numerical / digital	*numérique*
the integer type	*le type entier*
the real type	*le type réel*
the character type	*le type caractère*
a variable	*une variable*
an identifier	*un identificateur*
fifo (first in, first out) (PEPS)	*système du 1er entré, 1er sorti*
lifo (last in, first out)	*dernier entré, premier sorti*
a queue	*une file d'attente*
a job queue	*une file d'attente des travaux*
a stack	*une pile*
a list	*une liste / une file*
a heap	*un tas*
a tree	*un arbre*
a buffer	*un tampon*
an array	*un tableau*
an array type	*un type enregistrement*
a record	*un enregistrement*
a floating point number	*un nombre en virgule flottante*
FLOPs / flops (floating point operations per second)	*le nombre d'opérations en virgule flottante par seconde*
Mflops	*mégaflops*
Gflops	*gigaflops*
gigo (garbage in, garbage out)	*déchet à l'entrée, déchet à la sortie*
siro (sequential in, random out)	*entrée séquentielle, sortie aléatoire*
a string of characters	*une chaîne de caractères*
an adder	*un additionneur*

3. Categories of data — *Les catégories de données*

a database	*une base de données*
a distributed data base	*une base de données réparties*
a data bank manager	*un administrateur de bases de données*
a data file manager	*un administrateur de données*
a data bank / a memory bank	*une banque de données*
a data book	*un recueil de données*
a data library	*une bibliothèque de données*
a corporate database	*une base de données d'entreprise*
back-up information	*données de sauvegarde*
data security	*la protection des données*
data control / management	*la gestion des données*
DAV (data available)	*données disponibles*
error data	*données erronées*
informative data	*données utiles*
input / output data	*données d'entrée / de sortie*
irretrievable data	*données inaccessibles*
historical data	*données fondamentales*

machine-readable data	*données exploitables par la machine*
primary data	*données d'origine*
prime data / source data	*données de base*
raw data	*données brutes*
a source document	*un document source*

4. Data handling — *La saisie des données*

a database schema	*un schéma d'une base de données*
a data definition language	*un langage de définition de données*
data capture / key entry / data acquisition	*la saisie des données*
primary acquisition	*la saisie à la base*
to keyboard / to key in	*saisir au clavier*
to process data	*traiter les données*
Automatic data processing (ADP)	*le traitement automatique des données*
Electronic Data Processing (EDP)	*l'informatique / le traitement électronique de données*
a data item	*un article*
batch processing	*le traitement par lots*
time sharing	*le temps partagé*
real time	*le temps réel*
coherency	*la cohérence des données*
on-line data service	*le serveur de données / l'arrivée en ligne*
database query	*interrogation d'une base de données*
overflow	*le dépassement de capacité / le débordement*
underflow	*le sous-dépassement*
input information	*informations à traiter*
an item card	*une carte article*
a data card	*une carte de données*
a data processing card	*une carte perforée*
a packet	*une tranche de données*
a data string	*une chaîne de données*
a data sink	*un collecteur de données*
data privacy	*la confidentialité des données*
to provide data	*fournir des données*
to collect data	*rassembler des données*
to capture data	*saisir des données*
data collection	*acquisition de données*
to log data	*enregistrer des données*
data logging	*enregistrement chronologique des données*
data generation	*la production de données*

to retrieve data	*consulter des données*
to store data	*stocker des données*
to duplicate	*dupliquer*
duplication	*la duplication*
redundancy	*la redondance*
garbage	*données incohérentes / le rebut*
to unblock	*décomposer*
to pack / to compress	*compacter*
to unpack / to uncompress	*décompacter*
to squeeze	*compresser*
a data squeezer	*un compresseur de données*
table lookup	*la consultation de table*
tabular data presentation	*la présentation de données en table*
table entry	*entrée de table*
a character assignment table	*une table d'allocation de caractères*
a calibration chart	*une table d'étalonnage*

5. Addresses — *Les adresses*

addressing	*adressage*
network addressing	*adressage de réseau / plan d'adressage*
to address	*adresser*
an address	*une adresse*
poll address	*adresse d'appel*
key address	*adresse d'indicatif*
a relocatable address	*une adresse translatable*
a virtual address	*une adresse virtuelle*
an entry / entrance	*une adresse d'entrée*
an address bus	*un bus d'adresses*
an address operand	*un opérande de l'adresse*
an address directory	*un répertoire d'adresses / une table d'adresses*
implied addressing	*adressage automatique*
line addressing	*adressage de ligne*
absolute address	*adresse absolue*
absolute addressing	*adressage absolu*
relative addressing	*adressage relatif*
indexed addressing	*adressage indexé*
an index / a pointer	*un pointeur*

6. Destage — *Le mouvement des données*

a data switching exchange (DSE)	*un centre de commutation de données*
data path	*acheminement des données*
a data path	*un chemin des données*
data origination / datacom	*le transfert de données*
parallel transfer	*le transfert parallèle*
serial transfer	*le transfert série*
a protocol	*un protocole*
a handshake	*une autorisation de transfert*
an access protocol	*un protocole d'accès*
a connection protocol	*un protocole de connexion*
a link control protocol	*un protocole de transmission*
halfduplex transmission	*la transmission bidirectionnelle à l'alternat / la transmission bidirectionnelle non simultanée*
a multichannel protocol	*un protocole multicanaux / multivoie*
a single-channel protocol	*un protocole unicanal / univoie*
item demand	*la demande d'articles*
item size	*la taille d'article*
an information separator (IS)	*un séparateur de données*
information storage / retrieval (ISR)	*le stockage / la restitution des données*
data manipulation	*la manipulation des données*
verification	*la vérification*
digital information	*données numériques*
information retrieval	*la recherche d'informations*
a pattern	*un modèle-type*
synchronous	*synchrone*
asynchronous	*asynchrone*
serial / sequential	*en série*
parallel	*en parallèle*
baud	*un baud (nombre de bits/seconde)*
a checksum	*une somme de contrôle*
a network	*un réseau*

7. Searching for data — *La recherche de données*

searching	*la recherche*
to search (for)	*chercher / rechercher*
associative searching	*la recherche associative / par contenu*
binary searching	*la recherche dichotomique*
location searching	*la recherche par position*
tree searching	*la recherche arborescente*

8. Rates — *Le débit*

rate	*le taux / le débit / la vitesse*
bit rate	*le débit binaire*
baud rate	*la vitesse de transmission*
clock rate	*la vitesse d'horloge*
data rate	*le débit des données*
transfer rate	*la vitesse de transfert*
data transfer rate	*le débit de transmission des données*
high-data rate	*la transmission à grande vitesse*
basic rate access	*accès de base*
primary rate access	*accès à débit primaire*
compression rate	*le taux de compression*

9. Masks — *Les masques*

a filter / a mask	*un masque*
form mode	*mode masque*
a static image	*un masque d'écran*
an edit mask	*un masque d'édition*
an interrupt mask	*un masque d'interruption*
a print mask	*un masque d'impression*
an acquisition profile / a capture mode	*un masque de saisie*
masking	*le masquage*

Chapitre XII

Files
Les fichiers

1. Types of files — *Les types de fichiers*

a file / a data set	*un fichier / un dossier*
a subfile	*un sous-fichier*
a folder	*un dossier*
an active file	*un fichier actif*
an audio file	*un fichier audio*
an audit file	*un fichier archive*
a backup file	*un fichier de réserve*
a corrupt file	*un fichier altéré*
a dead file	*un fichier inactif*
a file directory	*un répertoire de fichiers*
an integrated file	*un fichier intégré*
a file store / a system file	*un fichier système*
a binary run file	*un fichier binaire exécutable*
an inverted file	*un fichier inverse*
a master file	*un fichier maître / un fichier directeur*
a protected file	*un fichier protégé*
a public file	*un fichier public*
a random access file	*un fichier à accès direct*
a read-only file	*un fichier ouvrable en lecture*
a root file	*un fichier résident*
a text file	*un fichier texte*
a working file / a work file / a scratch file	*un fichier de travail*
a sequential file	*un fichier séquentiel*
a mirror disk	*un fichier miroir / un disque miroir*
a compound document	*un document composite*
merging	*la fusion (de fichiers) / interclassement*

2. File management — *La gestion de fichiers*

a file manager	*un gestionnaire de fichiers*
a file procedure	*une procédure cataloguée*
file storage	*la mémoire fichier*
file access	*accès fichier seulement*
file assignment	*la désignation de fichier*
file composition	*la composition de fichier*
file defragmentation	*le défractionnement de fichier*
file maintenance	*la tenue de fichier*
file packing	*le compactage de fichiers*
file processing	*le traitement de fichiers*
file purging	*effacement de fichier*
file saving	*la sauvegarde de fichier*
file scratch	*la destruction d'un fichier*
file security	*la sécurité des fichiers*
file specification	*caractéristiques de fichier*
file tidying	*la réorganisation de fichier*
file transfer	*le transfert de fichier*
file undeletion	*la restauration de fichiers*
file unpacking	*le décompactage de fichiers*

Chapitre XIII

Programs
Les programmes

1. General background — *Généralités*

programming / coding / codification	*la programmation*
program development	*la création de programme*
an outdated program	*un programme périmé*
a new release	*une nouvelle édition*
a new version	*une nouvelle version*
to unveil	*dévoiler*
to release a new version	*sortir une nouvelle version*
to update	*mettre à jour*
an update	*une mise à jour*
human factors in software development	*ergonomie des logiciels*
a support program	*un logiciel d'aide à la programmation*
programming support / aid	*outil de programmation*
programming tools	*outils de programmation*
a programming method	*une méthode de programmation*
program maintenance	*la maintenance de programmes*
object-oriented approach	*approche orientée objet*
readability	*la lisibilité*

2. Types of programs — *Les types de programmes*

a program generator	*un générateur de programme*
an add-on / an add-in program	*un complément de programme*
an assembler / an assembly program	*un assembleur*
an audit program	*un programme de vérification*

a blue ribbon program	*un programme sans mise au point*
a called program	*un programme appelé*
a check program	*un programme de test*
a coded program	*un programme codé*
a complete routine	*un programme au point*
a cross program	*un programme croisé*
a dependent program	*un programme associé*
a handler	*un programme de commande périphérique*
an initial program loader / a bootstrap	*un programme amorce*
an initialization program	*un programme d'initialisation*
an interpretative program	*un programme interprété*
a linked program	*un programme fermé*
a main program	*un programme principal*
a monitor program	*un programme moniteur*
an object program	*un programme objet / un programme d'arrivée*
an open-ended program	*un programme ouvert*
a portable program	*un programme portable*
a processing program	*un programme de traitement*
a recursive program	*un programme récursif*
a re-entrant program	*un programme réentrant*
a resident program	*un programme résident*
a reusable program	*un programme réutilisable après exécution*
a source program	*un programme de départ / un programme source*
a stored program	*un programme en mémoire / un programme enregistré*
a subprogram	*un sous-programme*
a systems program	*un programme système*
a translation program	*un programme de traduction*
a translator program	*un traducteur*
a user program	*un programme utilisateur*
a utility program	*un programme de service*
a routine	*un programme*
a module	*un module*
a subroutine	*un sous-programme*
to subroutinize	*faire des sous-programmes*
to break down a large program (into)	*décomposer un gros programme (en)*
a segment / a section	*un segment*
a global segment	*un segment commun*
a base segment	*un segment de contrôle*
a program part	*un segment de programme*
a data segment	*un segment de données*
a code segment	*un segment de code*
an overlay segment	*un segment de recouvrement*
a subsegment	*un sous-segment*
a tool kit	*une boîte à outils*

overlay	*le recouvrement*

3. Programming — *La programmation*

a programming system	*un système de programmation*
a programming language	*un langage de programmation*
absolute programming	*la programmation en langage-machine*
algorithmic programming	*la programmation algorithmique*
applicative programming	*la programmation applicative*
automatic programming	*la programmation assistée*
computer-aided programming	*la programmation assistée par ordinateur*
concurrent programming / parallel programming	*la programmation concurrente / parallèle*
declarative programming / non-procedural programming	*la programmation déclarative / non procédurale*
deductive programming	*la programmation modulaire*
defensive programming	*la programmation défensive*
dynamic programming	*la programmation dynamique*
functional programming	*la programmation fonctionnelle*
instruction coding	*la programmation des instructions*
linear programming	*la programmation linéaire*
logical programming	*la programmation en logique*
modular programming	*la programmation modulaire*
monoprogramming	*la monoprogrammation*
multiprogramming	*la multiprogrammation*
non linear programming	*la programmation non linéaire*
object-oriented programming	*la programmation orientée objet / par objets*
on-line programming	*la programmation interactive*
programming with restrictions	*la programmation par contraintes*
structured programming	*la programmation structurée*

4. Utility programs — *Les programmes utilitaires*

a utility / a utility routine	*un programme utilitaire*
a utility system	*un système de programmation utilitaire*
a general utility	*un utilitaire général*
a utility package	*logiciels utilitaires*
a disk analyser	*un analyseur de disque*
a hard disk manager	*un gestionnaire de disque dur*
an accumulator (ACC)	*un accumulateur*
a logger	*un enregistreur (chronologique)*
a decrypt program	*un programme de décryptage*

a defragmenter / a defragmenting program	*un défragmenteur*
an encrypt program	*un programme de cryptage*
a format program	*un programme de formatage*
a garbage collector	*un programme de nettoyage*
a graphics program	*un outil graphique*
a packing program	*un compacteur*
a template	*une feuille de style*
a viewer	*un visualiseur de fichiers*
an undelete program / an unerase program	*un récupérateur de fichiers*
an unpacking program	*un programme de décompactage*
an updating routine	*un programme de mise à jour*
a screen blanker	*un programme d'extinction de l'écran*

5. Compiling — *La compilation*

a compiler	*un compilateur*
a compiler-compiler	*un compilateur de compilateur*
a metacompiler	*un métacompilateur*
an incremental compiler	*un compilateur incrémentiel*
a silicon compiler	*un compilateur de silicium*
a vectorizer compiler	*un compilateur-vectoriseur*
separate compiling	*la compilation séparée*

6. Monitors — *Les moniteurs*

a monitor program	*un programme moniteur*
a teleprocessing monitor	*un moniteur de télétraitement*
a time sharing monitor	*un moniteur temps partagé*
a real time monitor	*un moniteur temps réel*
a transaction monitor	*un moniteur transactionnel*

7. Desktop utilities — *Les utilitaires de bureau*

an integrated dictionary	*un dictionnaire intégré*
an appointment scheduler	*un agenda*
a calculator	*une calculatrice / une calculette*
an adder	*un additionneur*
an adding wheel	*une machine de Pascal*
an adding operator	*un opérateur additif*
an editor	*un éditeur*
a file shredder	*un broyeur de fichiers*

a linkage editor / a link editor / a linker	*un éditeur de liens*
a notepad	*une ardoise électronique*
a reminder	*un pense-bête*
a spell checker	*un calibreur orthographique*

8. Program sequences — *Les séquences d'un programme*

program loading	*le chargement du programme*
program call	*appel de programme*
program stop	*arrêt de programme*
program flow	*le déroulement du programme*
program backup	*la sauvegarde de programme*
overlaying	*le recouvrement*
a watchdog	*un contrôleur de séquence*
a program controller	*un contrôleur de séquences d'instructions*
a program directive	*une directive de programmation*
a program error	*une erreur de programme*
a program flowchart	*un organigramme de programme*
a program header	*un en-tête de programme*
a program statement	*une instruction de programme*
a sequence	*une séquence*
sequencing	*la mise en séquence*
a coding sequence	*une séquence de programmation*
a logic worm	*un ver logique*
to load	*charger*
a program loader	*un chargeur de programme*
a workload	*une charge du système*
program linking	*enchaînement de programme*
an instruction sheet	*une feuille programme*
a check program	*un jeu d'essai*
restoration	*la restauration*

9. Running a program — *L'exécution d'un programme*

9.1. Functions — *Les fonctions*

control operation	*fonction*
transmission control (TC)	*commande de transmission*
versus (vs)	*en fonction*
wait action	*la fonction d'attente*
write action	*la fonction d'écriture*
a search function	*une fonction de recherche*
a recovery function	*une fonction de récupération*
a load function	*une fonction de chargement*
a format effector (FE)	*une fonction de mise en page*

an input format	*un format d'entrée*
a printing format	*un format d'impression*
a verify function	*une fonction de vérification*

9.2. Modes — *Les modes*

a channel mode	*un mode canal*
a command mode	*un mode de commande*
a conversational mode	*un mode conversationnel / dialogué*
a data communication mode	*un mode de transmission*
a delayed mode	*un mode différé*
a load mode	*un mode de chargement*
a master mode / a supervisor mode	*un mode principal / un mode maître*
a mode switch	*un commutateur de mode*
a multitasking mode	*un mode multitâche*
an off-line mode	*un mode autonome*
an on-line mode	*un mode connecté*
an operational mode	*un mode opérationnel*
a print mode code	*un code de mode d'impression*
a privileged mode	*un mode prioritaire*
slave mode	*en mode asservi*
slave application	*application en mode asservi*
a transaction processing mode	*un mode transactionnel*

9.3. Words — *Les mots*

word capacity	*la capacité exprimée en mots*
an interword gap	*un intervalle entre mots*
a word space	*un espace mot*
a burst	*un groupe de mots*
word length	*la longueur de mot*
a keyword	*un mot-clé / un mot réservé*
a control word	*un mot de commande*
a check word	*un mot de contrôle*
a lock code / a password	*un mot de passe*
a lockword	*un mot de verrouillage*
a user defined word	*un mot défini par l'utilisateur*
a reserved word	*un mot réservé*

9.4. Characters — *Les caractères*

a character	*un caractère (unité de transmission)*
a command character	*un caractère de commande*
a device control character	*un caractère de commande d'appareil*

an information separator character (IS)	*un caractère séparateur d'informations*
an end of medium character (EM)	*un caractère de fin de support*
a cancel character	*un caractère d'annulation*
a shift-in character (SI)	*un caractère en code*
a shift-out character (SO)	*un caractère hors code*
a code extension character	*un caractère de changement de code*
an escape character (ESC)	*un caractère d'échappement*
a substitute character (SUB)	*un caractère substitut*

9.5. Chaining — *Le chaînage*

a string	*une chaîne*
a character string	*une chaîne de caractères*
forward / backward chaining	*le chaînage avant / arrière*
a check string	*une chaîne de reprise*
a job string	*une chaîne de traitement*
concatenation	*la concaténation*

9.6. Job steps — *Les étapes de travail*

interactivity	*interactivité / interaction*
to interact	*dialoguer (dialogue homme / machine ou terminal / ordinateur)*
elapsed time	*la durée totale*
to ignite / to prime / to boot	*amorcer*
bootstrap	*amorçage*
an initial program loader / a bootstrap	*un programme amorce*
initial program loading / boot strapping	*initialisation d'un ordinateur*
to initialize / to format (a disk) / to initiate	*initialiser / formater (un disque, une disquette)*
initialization	*initialisation*
an initialization program / an initializer	*un programme d'initialisation*
to log	*se « loger » (sur un lecteur)*
to display	*afficher*
display	*affichage*
display devices	*techniques d'affichage*
to format	*formater / arranger / mettre en page*
to unformat	*déformater*
a step	*une étape*
to design a program	*concevoir un programme*
simulation	*la simulation*
an emulator / a simulator	*un simulateur*
a load simulator	*un simulateur de charge*

an environment simulator	*un simulateur d'environnement*
a ROM simulator	*un simulateur de mémoire morte*
a benchmark	*un test de performance*
to edit a program	*éditer un programme / travailler sur un programme*
to run a program	*exécuter un programme*
run	*exécution / passage machine*
a run-time	*un passage en machine*
to start a program	*lancer un programme*
to bootstrap	*lancer un système / booter*
bootstrapping	*le lancement*
cold start	*le démarrage à froid*
job initiation	*le lancement des travaux*
to instruct	*donner l'ordre de*
a call	*un appel*
call address	*adresse d'appel*
a subroutine call	*un appel de sous-programme*
a procedure call	*un appel de procédure*
a macro-instruction call	*un appel de macro-instruction*
a supervisor call	*un appel au superviseur*
a call by name	*un appel par nom*
a call by value	*un appel par valeur*
a keyboard request	*une requête par clavier*
to inquire / to interrogate / to call	*appeler*
a cue	*un message de départ*
to input	*introduire / entrer*
to move into	*introduire en mémoire*
to key (in)	*introduire par le clavier*
an input process / entry	*introduction*
to read a program	*lire un programme*
to write a program	*écrire un programme*
load and go	*charger lancer*
a load call	*un appel de chargement*
to load a program	*charger un programme*
to unload	*décharger*
to download	*transférer / télécharger*
downloading	*le téléchargement*
dynamic relocation	*la translation dynamique*
to perform an operation	*exécuter une opération*
basic	*de base*
processing	*le traitement*
a process	*une marche à suivre / une procédure*
the outset	*le début*
input	*l'entrée / l'émetteur*
output	*la sortie / le récepteur*
an input device	*un dispositif d'entrée / l'introduction*
an output device	*un dispositif de sortie / l'extraction*
to handle an input function	*manier une fonction d'entrée*
sysin (ingoing system)	*opération d'entrée*
sysout (outgoing system)	*opération de sortie*
batch mode / batch processing	*le traitement par lots*

interface	*interface / la jonction*
to enter... (into a computer)	*enregistrer... sur (un) ordinateur*
to set	*positionner*
to reset	*remettre à zéro / relancer*
to clear	*mettre à zéro / effacer (l'écran)*
wait	*attente*
a wait call	*un appel de mise en attente*
a wait cycle / a wait state	*un cycle d'attente*
queued access	*accès par file d'attente*
a rotational delay / standby time	*un temps d'attente*
overhead	*la surcharge système*
thrashing	*le tassage / écroulement*
key entry	*entrée au clavier*
entry block	*entrée de programme*
data entry	*entrée des données*
misentry	*entrée erronée*
poke / put / write / writing	*écriture*
program write-up	*écriture de programme*
plain writing	*écriture en clair*
write burst	*écriture en rafale*
demand writing	*écriture immédiate*
miswrite	*erreur d'écriture*
encapsulation	*encapsulation*
parametrization	*le paramétrage*
a parameter	*un paramètre*
a formal parameter	*un paramètre formel*
an actual parameter	*un paramètre effectif*
a checkpoint	*un point de test*
to record / to read in / to enter / to log / to store	*enregistrer*
logging / record / recording	*enregistrement*
double pulse recording	*enregistrement par double impulsion*
non return to zero recording	*enregistrement polarisé sans retour à 0*
information record	*enregistrement de données*
phase modulation recording	*enregistrement en modulation de phase*
vertical recording	*enregistrement vertical*
end-of-record (EOR)	*fin d'enregistrement*
end-of-file (EOF)	*fin de fichier*
to store / to save	*enregistrer / sauvegarder*
to sort / to sequence	*trier*
sorting	*le tri*
sorting merge	*le tri fusion*
sorting by insertion	*le tri par interclassement*
maximum element sorting	*le tri par le maximum*
bubble sorting	*le tri par permutation / par remontée des bulles*
quick sorting	*le tri par segmentation / le tri rapide*
to compute	*calculer*

to implement	*implémenter*
editing	*édition*
data editing	*édition de données*
graphical editing	*édition graphique*
an edit program	*un éditeur*
an output writer	*un éditeur de sortie*
readout / reading / get	*la lecture*
a read path	*un chemin de lecture*
backward read	*la lecture arrière*
screen read	*la lecture d'écran*
direct read after write (DRAW)	*lecture et écriture simultanées*
multiread	*la lecture multiple*
sensing	*la lecture par exploration*
a read station / a channel sensor	*un poste lecture*
a playback head / a reading head	*une tête de lecture*
a read error	*une erreur de lecture*
data read	*la lecture des données*
destructive read / destructive read-out (DRO)	*la lecture destructive*
non destructive read-out	*la lecture non destructive*
continuous reading	*la lecture en défilement continu*
optical reading / optical character recognition	*la lecture optique*
read-only	*en lecture seule*
to overflow	*dépasser la capacité*
overflow / overshoot	*le dépassement de capacité*
to rerun / to resume	*reprendre*
a rerun	*une reprise*
to transmit	*transmettre*
communication / transmission / forwarding / datacall	*la transmission*
transmission capability	*la capacité de transmission*
demultiplexing	*le démultiplexage*
a demultiplexor	*un démultiplexeur*
to interrupt	*interrompre*
interruption / break / interlock / interrupt	*interruption*
hierarchized interrupt	*interruption hiérarchisée*
enabled	*armé*
disabled	*désarmé*
to mask	*masquer*
vectorized interrupt	*interruption vectorisée*
an interrupt button	*un bouton d'interruption*
an interrupt routine	*une routine d'interruption*
a break request signal (BRS)	*une demande d'interruption*
interlock time	*le temps d'interruption*
polling	*scrutation*
rollcall polling	*scrutation par appel*
auto-polling	*scrutation automatique*
hub polling	*scrutation par passage de témoin*
to itemize	*spécifier*

to retrieve	*rechercher*
information retrieval	*la recherche d'informations*
retrieval speed	*la vitesse de recherche*
to reclaim / to recover	*récupérer*
reclamation / recovery	*la récupération*
a retrieval operation	*une procédure de récupération*
backward recovery	*la récupération par retraitement*
false retrieval	*la récupération parasite*
to delete / to erase	*effacer*
to undelete	*récupérer / restaurer*
file undeletion	*la récupération de fichiers*
clear / erasure / purging	*effacement*
blank after	*effacement après sortie*
file purging	*effacement de fichiers*
bulk erasing / master clear	*effacement global*
screen erasure / clear screen	*effacement écran*
selective erasure	*effacement sélectif*
memory erasure / cleaning	*effacement mémoire*
a destructive cursor	*un curseur effaceur*
to zap / to shred	*détruire*
a file shredder	*un destructeur de fichiers*
to scratch	*détruire des données (involontairement)*
a soft bomb	*une bombe logique*
halt / stop	*arrêt*
system crash	*arrêt brutal du système*
deadly embrace	*arrêt conflictuel*
program termination / stop	*arrêt de programme*
drop-dead halt	*arrêt définitif*
system shutdown	*arrêt du système*
kill	*arrêt manuel*
high speed stop	*arrêt instantané*
abortion	*arrêt prématuré*
coded stop	*arrêt programmé*
to restart / to rebootstrap	*redémarrer / reprendre / relancer*
to rework / to start over	*reprendre au début*
a resumption / a start-over	*une reprise*
autostart / fallback	*la reprise automatique*
make-up time / rerun time	*le temps de reprise*
restart	*le redémarrage*
a rerun	*une reprise*
to refresh memory	*rafraîchir la mémoire*
to halt / to stop	*s'arrêter*
ending / end / tailpoint	*la fin*
instruction termination	*fin d'instruction*
program end	*fin de programme*
job termination	*la fin des travaux*
deposit / dumping / purge	*le vidage*
file scratching	*la purge de fichier*
a disaster dump	*un vidage accidentel*
to dump / to purge / to flush	*vider*

accidental loss	*la perte accidentelle*
to update	*mettre à jour*
to back up	*effectuer une copie de sécurité*
to restore	*restaurer (les données)*
a backup	*une copie de rechange d'un programme*
a check point	*un point de repère*

Chapitre XIV

Hardware
Le hardware (le matériel)

1. General background — *Généralités*

the hard sector	*le secteur matériel*
a piece of hardware	*un matériel*
a piece of equipment	*une partie de matériel*
a hardware product	*un matériel (commercial)*
equipment / machinery	*le matériel*
computing machinery	*le matériel de calcul*
used equipment	*le matériel d'occasion*
ancillary hardware	*le matériel auxiliaire*
hardware reliability	*la fiabilité du matériel*
a network of computers	*un réseau d'ordinateurs*
hardware environment	*l'environnement de l'équipement*
hardware requirements	*la dotation de machines*
hardware programmed	*réalisable par programme machine*
a component	*un composant*
a hardware component	*un composant matériel*
a component part	*un composant constitutif*
a discrete component	*un composant discret / non intégré*
a pancake	*un composant plat*
machine readable	*exécutable par la machine*
machine sensitive	*dépendant de la machine*
machine learning	*apprentissage par machine*

2. Processors — *Les processeurs*

a CPU (Central Processing Unit)	*une unité centrale / un processeur central de traitement*
a co-processor	*un coprocesseur*
an arithmetical processor	*un processeur arithmétique*

a central / master processor	*un processeur central*
a data communication control unit	*une unité de commande de télécommunication (processeur frontal)*
a display processor	*un processeur graphique*
an image processor	*un processeur d'images*
an input/output processor	*un processeur d'entrées-sorties*
a language processor	*un processeur de langage*
a network processor	*un processeur de réseau*
a front-end processor (FEP)	*un processeur frontal*
multi-processor	*multiprocesseur*
a signal processor	*un processeur de signaux*
a software processor	*un processeur logiciel*
a storage management processor	*un processeur de gestion de mémoire*

3. The computer range — *La gamme d'ordinateurs*

a computer range	*une classe de machines*
a computer generation	*une génération de machines*
a computer family	*une famille d'ordinateurs*
a machine	*une « bécane »*
a mainframe	*un gros système / un macro-ordinateur*
a mainframe computer	*un gros ordinateur*
a midframe	*un midframe*
a super-mainframe / a supercomputer	*un super-ordinateur*
a processing system	*un calculateur*
a large scale system	*un ordinateur de grande puissance*
a small scale system	*un ordinateur de faible puissance*
an analog computer	*un ordinateur analogique*
an art restoration computer	*un ordinateur pour la restauration de tableaux*
a buffered computer	*un ordinateur à tampon*
a business computer	*un ordinateur de gestion*
a card computer	*un ordinateur à cartes*
a desktop computer / an office computer	*un ordinateur de bureau*
a digital computer	*un ordinateur numérique*
a front end computer	*un ordinateur frontal*
a home computer	*un ordinateur individuel / privé*
an instructional computer	*un ordinateur d'enseignement*
a lap portable	*un compact*
a laptop computer / a portable computer / a notebook	*un ordinateur portable / portatif*
a large parallel computer	*un ordinateur massivement parallèle*
a minicomputer	*un ordinateur miniature*

a microcomputer	*un micro-ordinateur*
a network computer (NC)	*un ordinateur de réseau*
a notebook (computer)	*un ordinateur de poche*
a number cruncher	*un gros ordinateur de calcul / un « broyeur de nombres »*
a palmtop computer	*un pico-ordinateur / un ordinateur de poche*
a parallel computer	*un ordinateur parallèle*
a personal computer (PC)	*un ordinateur individuel (OI) / un ordinateur personnel / un PC*
a personal office computer	*un ordinateur personnel de bureau*
a pocket size computer	*un ordinateur de poche*
a real time computer	*un calculateur en temps réel*
a remote computer	*un ordinateur déporté*
a single station	*un monoposte*
a small business computer	*un ordinateur de gestion*
a source machine	*un ordinateur compileur*
a subnotebook	*un ordinateur ultraportatif*
a supercomputer	*un super ordinateur / un supercalculateur / un ordinateur vectoriel*
a personal digital assistant	*un assistant numérique personnel / un agenda électronique*
a user-oriented computer	*un ordinateur grand public*
a voice response computer	*un ordinateur à réponse vocale*
to fit into a briefcase	*tenir dans une mallette*
to be battery operated	*fonctionner sur pile*
to recharge	*recharger*
to power	*alimenter*
a spreadsheet	*un tableur*
a built-in spreadsheet	*un tableur incorporé*
lightness	*la légèreté*
light	*léger*
versatility	*la souplesse d'emploi*
compatible	*compatible*
plug to plug compatible	*entièrement compatible*

4. Input / output devices — *Les périphériques d'entrée / de sortie*

peripherals	*les périphériques*
peripheral equipment	*le matériel périphérique*
data processing equipment	*le matériel de traitement*
a peripheral unit	*une unité périphérique*
a device	*un périphérique*
an input device	*un appareil d'entrée*
an output device	*un appareil de sortie*
peripheral equipment / device	*organe périphérique*
device-dependent	*dépendant du périphérique*

an end-use device	*un périphérique destinataire*
a batch peripheral	*un périphérique lourd*
a control unit	*une unité de contrôle*
a coupler	*un coupleur*
a synchronous coupler	*un coupleur synchrone*
an asynchronous coupler	*un coupleur asynchrone*
a printer	*une imprimante*
a graphics tablet	*une tablette graphique*
a plotter	*une table traçante*
a keyboard	*un clavier*
a centralized control unit	*une commande centralisée*
a light pen	*un crayon lumineux / un photostyle*
a wand	*un crayon optique*
a scanner	*un numériseur*
a mouse	*une souris*
a joystick	*une manette de jeu / un manche à balai / un manche / une poignée*
a floppy disk	*une disquette*
a hard disk	*un disque dur*
infrared	*infrarouge*

5. Terminal equipment — *L'équipement de terminaison*

a terminal / an outstation	*un terminal*
a bank terminal	*un terminal bancaire*
an intelligent / dumb terminal	*un terminal intelligent / non intelligent*
an inquiry display terminal	*un terminal d'interrogation*
a query terminal	*un terminal de renseignements*
an office display terminal	*un terminal de bureau*
a counter terminal	*un terminal de guichet*
a data display unit / a data terminal	*un terminal de données*
a booking terminal	*un terminal de réservation*
a manufacturing terminal	*un terminal industriel*
a point of sale terminal	*un terminal point de vente (TPV)*
a tutorial display	*un terminal éducatif*
a terminal user	*un opérateur console*
data terminal equipment (DTE)	*le terminal*
a cluster	*une grappe*
display control	*interface de terminal*
a concentrator	*un concentrateur*
a concentrator-diffuser	*un concentrateur-diffuseur*
concentration	*la concentration*

6. Hardware interfaces — *Les interfaces matérielles*

an interface connection	*un branchement de liaison*
interface / gateway	*interface*
to interface	*interfacer*
an interface circuit	*un circuit d'interface*
an interface routine	*un programme d'interface*
a process interface system	*une interface de commande*
a device adapter interface / a peripheral interface	*une interface de périphérique*
an input-output interface	*une interface d'entrée-sortie*
a parallel interface	*une interface parallèle*
a serial interface	*une interface en série*
a digital-to-analog converter (DAC)	*un convertisseur numérique-analogique*
an analog-to-digital converter (ADC)	*un convertisseur analogique-numérique*
a peripheral controller	*un contrôleur de périphériques*
a direct memory access controller (DMA)	*un contrôleur d'accès direct à la mémoire*
a connector	*un connecteur*
the keyboard connector	*le connecteur du clavier*
the mouse connector	*le connecteur de la souris*
the monitor connector	*le connecteur pour moniteur*

7. Ports — *Les ports*

a port	*un point d'accès / une voie / un port*
a communication port	*un port de communication*
an access port	*un port d'accès*
a dual port	*un port double*
a memory port	*un port mémoire*
an I/O port	*un port entrée / sortie (E/S)*
a COM port	*un port COM / un port de communication*
an input port	*un port d'entrée*
an LPT port	*un port parallèle / un port LPT*
an output port	*un port de sortie*
a parallel port	*un port parallèle*
a serial port	*un port série*

8. The computer body — *Le corps de l'ordinateur*

a system unit	*une unité principale*
a system housing	*un boîtier principal*

a cover	*un capot*
a ventilation slot	*une fente de ventilation*
an internal disk drive	*un lecteur de disquettes interne*
an external disk drive	*un lecteur de disquettes externe*
a disk bay / dock	*un emplacement pour unité de disque*
a disk drive lamp	*une lampe de contrôle du lecteur*
a power-on lamp / an indicator	*une lampe de mise sous tension*

9. Electronic components — *Les composants électroniques*

9.1. Chips — *Les puces*

a chip / a die	*une puce / un circuit intégré*
a microprocessor chip	*une puce de / à microprocesseur*
a memory chip	*une puce à mémoire / un circuit de mémoire*
a chipset / chip set	*un ensemble de puces intégrées*
a chip socket	*un support de circuit intégré*
a speciality / a specialized chip / a special-purpose chip	*une puce spécialisée*
a DIP chip	*une puce DIP / une puce double*
a DRAM chip	*une puce RAM dynamique*
a flash chip	*une puce de mémoire flash*
a microcomputer chip	*une microplaquette / une puce de micro-ordinateur*
a silicon chip	*une puce de silicium*
a single-chip system	*un système à puce unique*
a smart chip	*une puce intelligente*
a VHSI chip	*une puce à très haute intégration*
to make a chip	*fabriquer une puce*
a chip package / a chip housing	*un boîtier*
a chip carrier	*un support de puce*
a single in-line package (SIL)	*un boîtier simple connexion*
a dual-in-line package (DIL)	*un boîtier à double rangée de connexions*
a connecting pin	*une broche de connexion*
a chipmaker	*un fabricant de puces*
a memory chip assembly plant	*une usine de montage de puces*

9.2. Semi-conductors — *Les semi-conducteurs*

silicon	*le silicium*
a silicon rod	*un bâtonnet de silicium*
a silicon chip	*une pastille de silicium*
a silicon wafer	*une pastille / tranche de silicium*
gallium arsenide	*l'arséniure de gallium*

selenium	*le sélénium*
germanium	*le germanium*
a semiconductor	*un semi-conducteur*
semi-conducting	*semi-conducteur (adj.)*
conducting / conductive	*conducteur*
a semiconductor firm	*une firme de semi-conducteurs*

9.3. The bus — *Le bus*

a bus	*un bus / un circuit commun*
a busbar / a bus system	*un bus*
a bus / an omnibus / a highway	*un bus / un canal*
an address bus	*un bus d'adresses*
a bus driver	*un coupleur de bus*
a bus link	*une liaison par bus*
a control bus	*un bus de commande*
a data-bus / D-bus	*un bus de données*
an input-output bus	*un bus d'entrée-sortie*
a latched bus	*un bus verrouillé*
a memory bus	*un bus de mémoire*
a software bus	*un bus logiciel*
an electrical conductor	*un conducteur électrique*
data origination / datacom	*le transfert de données*
rollout / roll-off / staging	*le transfert*
a move instruction	*une instruction de transfert*
block transfer	*un transfert de bloc*
a store-and-forward operation	*le transfert des données mémorisées*
blind transfer / demand staging	*le transfert immédiat*
the rate of transfer	*la cadence des transferts*
a channel	*un canal de données*
a communication channel	*un canal de communication*
a channel device	*un canal (processeur d'entrée-sortie)*
a sink	*un puits*
direct naming	*adressage direct*

10. Supplying and cabling — *Alimentation et câblage*

power supply	*alimentation*
a feeder	*un câble d'alimentation*
an AC (Alternating Current) cable	*un câble d'alimentation*
a feed system	*un circuit d'alimentation*
a line cord	*un cordon d'alimentation*
a power supply cord	*un cordon d'alimentation électrique*
to plug in a computer	*brancher un ordinateur*
to plug into	*se brancher à / sur*

to unplug	*débrancher*
hookup	*la connexion*
input terminal	*la connexion d'entrée*
a host link	*la connexion de l'ordinateur principal*
a hub	*un concentrateur de câblage*
a smart hub	*un concentrateur intelligent*
a plugging chart	*un schéma de connexions*
a jack panel / a pinboard / a plugboard	*un tableau de connexions*
a pin	*un picot*
to wire	*connecter*
a pluggable connector	*un connecteur*
a polarized connector	*un connecteur avec détrompeur*
the off / on power switch	*l'interrupteur de marche / arrêt*
a reset switch	*un bouton de réinitialisation*
power	*la tension*
to power up	*mettre sous tension*
to be on power / off power	*être sous tension / hors tension*
a voltage surge	*une surtension*
load charge	*le courant de tension*
a load peak	*une pointe de charge*
a fuse	*un fusible*
a plug	*une fiche*
a jack	*une fiche de connexion*
an earth terminal / a ground terminal (USA)	*une prise de terre*
a light / a pilot light / a LED (Light Emitting Diode)	*un voyant lumineux*
a power-on lamp	*une lampe de mise sous tension*

11. Circuitry — *Les circuits*

a circuit / a device / a data circuit	*un circuit*
a circuit design	*un schéma de circuit*
a design width	*une largeur de motif*
a switch	*un aiguillage*
integration	*intégration*
a circuit line	*une ligne de circuit*
an adding circuit	*un circuit d'addition*
a binary adder circuit	*un circuit additionneur binaire*
a control circuit	*un circuit de commande*
a four-wire circuit	*un circuit quatre fils*
an input circuit	*un circuit d'entrée*
an integrated circuit (IC)	*un circuit intégré*
an interlock circuit	*un circuit de verrouillage*
a leased circuit	*un circuit spécialisé / loué*
a loaded circuit	*un circuit chargé*

a printed circuit / a printed circuit board	*un circuit imprimé*
a memory card	*une carte mémoire*
a two-wire circuit	*un circuit deux fils*
a virtual circuit	*un circuit virtuel*
a permanent virtual circuit	*un circuit virtuel permanent*
a throughput class	*une classe de débit*
a switched virtual circuit	*un circuit virtuel commuté*
a virtual call service	*un service de circuits virtuels*
the motherboard	*la carte-mère*
a printed-circuit board (PCB)	*une carte à circuit imprimé*
a surface-mounted board	*une carte à montage en surface*
a fan in	*une entrance*

12. Compatibility — *La compatibilité*

systems compatibility	*la compatibilité des systèmes*
hardware compatibility	*la compatibilité entre matériels*
to be hardware compatible	*être compatible sur le plan matériel*
software compatibility	*la compatibilité entre logiciels*
to be software compatible	*être compatible sur le plan logiciel*
plug-to-plug compatible	*entièrement compatible*
plug-to-plug compatibility	*la compatibilité directe*
to ensure compatibility	*assurer la compatibilité*
incompatible	*incompatible*
incompatibility	*l'incompatibilité*
PC compatible	*compatible PC*
downward / upward compatible	*à compatibilité descendante / ascendante*
fully compatible	*compatible à 100%*
interworking	*interfonctionnement*
an official standard	*une norme officielle*
standard design	*la conception standard*
standard duration	*écart-type*
standard peripheral	*périphérique classique*
portability	*la portabilité / la transférabilité*
to port	*transférer*
software transformation	*la transposition de logiciel*
software migration	*la migration du logiciel*
software conversion	*la conversion de programmes*
a converter	*un convertisseur*
an analog/digital converter	*un convertisseur analogique/numérique*
a procedure converter	*un convertisseur de procédure*
to clone	*dupliquer*
emulation	*émulation*
to emulate	*émuler*
an emulator	*un émulateur*

an in circuit emulator	*un émulateur connecté*
a terminal emulator	*un émulateur de terminal*
networkability	*adaptabilité aux réseaux*
interoperability	*interopérabilité*
interoperable	*compatible (entre eux)*
expandability / openness	*évolutivité / ouverture*
a gateway	*une passerelle*

Chapitre XV

The Keyboard
Le clavier

1. General background — *Généralités*

an azerty keyboard	*un clavier AZERTY (français)*
a qwerty keyboard	*un clavier QWERTY (international)*
a keyboard mask	*une housse de protection de clavier*
a keyboard housing	*un boîtier de clavier*
a numeric keyboard	*un clavier numérique*
an alphanumeric keyboard	*un clavier alphanumérique*
a tactile keyboard	*un clavier tactile*
a keyboard console	*un pupitre à clavier*
keyboard-operated	*commandé par clavier*
a keyboard template	*une aide de clavier*
a numeric pad	*un pavé numérique*
the keyboard layout	*la disposition du clavier*
extended character keys	*le jeu étendu de caractères*
to key-in (to)	*entrer au clavier*
keyboard lock	*le verrouillage de clavier*

2. Keys — *Les touches*

2.1. General background — *Généralités*

a key / a key button	*une touche*
a key bank / a row	*une rangée de touches*
a keycap	*un cabochon*
touch control	*touche à effleurement*
a LED (light-emitting diode) indicator	*un voyant incorporé*

a typamatic key	*une touche à répétition*
a locking type button	*une touche autoblocante*
word processing keys	*touches de traitement de texte*
a function key	*une touche de fonction / de service*
a modifier key	*une touche de modification*
a shift key	*une touche majuscule*
a soft key	*une touche programmable*

2.2. Cursor movement keys — *Les touches de direction*

a cursor movement key / a cursor control key	*une touche de déplacement du curseur*
the arrow key	*la touche flèche*
the backspace key	*la touche de rappel arrière*
the end key	*la touche fin*
the forespace key	*la touche espace avant*
the home key	*la touche home / la touche de début de page*
the page up / down key	*la touche page avant / arrière*
the return key	*la touche de validation / de retour à la ligne*
the space bar	*la barre d'espacement*
tabulation	*la tabulation*
the tabulator key (TAB)	*la touche de tabulation*
the tab key	*la touche de tabulateur*
the upline / downline key	*la touche flèche haute / basse*

2.3. Control / edit keys — *Les touches de commande / de correction*

the Alt key	*la touche d'accès hors clavier*
a configuration key	*une touche de configuration*
the control key (CTRL)	*la touche de contrôle*
the dash key	*la touche de tiret*
the delete key	*la touche d'effacement*
the edit key	*la touche de correction*
the enter key / return key	*la touche de validation*
the error reset key (DEL)	*la touche de correction (EFF/ANNUL)*
the escape key	*la touche d'échappement / de sortie*
the insert key (INS)	*la touche insertion (INSERT)*
the Num lock key	*la touche de verrouillage*
the reset key	*la touche de remise à zéro*
the scroll lock key	*la touche de verrouillage*
the shift lock key	*le verrouillage majuscules*
a slash	*une barre de fraction*
back space	*l'espace arrière*

3. Typing — *La frappe*

typing	*la dactylographie*
key depression / strike / stroke	*la frappe*
to backspace	*reculer d'un espace*
to downshift	*passer en minuscules*
to upshift	*passer en majuscules*
to press a key / to depress a key	*enfoncer une touche*
to hit a key / to strike a key	*frapper sur une touche*
to hold down a key	*maintenir une touche enfoncée*
to disable a key	*désactiver une touche*
to key in data / to type in data	*entrer des données au clavier*

Chapitre XVI

Storage and Memory
Le stockage et la mémoire

1. The microprocessor — *Le microprocesseur*

1.1. General background — *Généralités*

a central processing unit (CPU) / a central processor	*une unité de traitement centrale / une unité centrale (UCT)*
a microprocessor unit (MPU)	*un microprocesseur*
a sliced / bit-slice microprocessor	*un microprocesseur en tranches*
an LSI microprocessor	*un microprocesseur hautement intégré*
a coprocessor / a companion chip	*un coprocesseur*
a graphics coprocessor	*un coprocesseur graphique*
a register	*un registre*
an input / output register	*un registre d'entrée / de sortie*
an accumulator register	*un registre accumulateur*
an address register / a base register	*un registre d'adresses*
a data register	*un registre de données*
a general purpose register	*un registre banalisé*
a utility register	*un registre auxiliaire*
dedicated to a precise function	*spécialisé dans une fonction précise*
a program counter (PC)	*un pointeur d'instruction*
an arithmetic / logic unit	*une unité arithmétique / logique*
a control unit	*une unité de commande*
a cell	*une cellule*

1.2. The clock — *L'horloge*

a clock	*une horloge*
clocking	*la synchronisation*

a master clock	*une horloge-mère*
a quantum clock	*une horloge en temps unitaire*
a real time clock	*une horloge en temps réel*
a clock cycle	*un cycle d'horloge*
a clock pulse / a clock signal	*un signal d'horloge*
a disc clock	*une horloge de synchronisation*

2. Memory — *La mémoire*

2.1. General background — *Généralités*

a scratch pad memory	*un bloc-notes / une mémoire annexe*
a virtual memory	*une mémoire virtuelle*
a backing store	*une mémoire auxiliaire*
bump	*la mémoire annexe*
a buffer unit	*un tampon*
memory analysis	*analyse de mémoire*
memory allocation	*attribution de mémoire*
resident	*résident (en mémoire)*
non resident	*non-résident*
memory map	*image mémoire / topographie mémoire*
a root file	*un fichier racine*
a foreground	*un avant-plan*
a background	*un arrière-plan*
a zone	*une zone*
an operating code field	*une zone code opération*
a comment field	*une zone commentaire*
a label field	*une zone étiquette*
an operand zone	*une zone opérande*
a reserved field	*une zone réservée*
storage scan	*le balayage de la mémoire*
interlacing	*entrelacement*
size memory	*la capacité mémoire*
an add-on memory	*une extension mémoire*
memory management	*la gestion de mémoire*
memory block	*le blocage de mémoire*
an organization sequence	*une séquence*
sequential indexed	*organisation indexée*
to tally	*étiqueter*
core load	*le chargement en mémoire*
storage entry	*entrée en mémoire*
a memory chip	*un circuit de mémoire*
to poke	*écrire en mémoire*
to move into / to usher	*mettre en mémoire*
memory store	*le rangement en mémoire*
memory cleaning	*effacement de la mémoire*

garbage collection	*le nettoyage des zones inutiles*
core dump / memory dump	*le listage de mémoire*

2.2. How memory works — *Le mode de fonctionnement de la mémoire*

RAM (random access memory) / DRAM (dynamic random access memory) / SRAM (static random access memory)	*la mémoire vive*
reading / writing / storing	*lecture / écriture / stockage*
ROM (Read Only Memory) / fixed store memory	*la mémoire morte*
PROM (programmable read only memory)	*mémoire morte programmable*
REPROM (reprogrammable ROM) /	*mémoire morte reprogrammable*
an erasable programmable memory (EPROM)	*une mémoire effaçable (Eprom)*
Electrically Alterable Read-Only Memory (EAROM)	*Mémoire Morte Modifiable Électriquement (MEMME)*
Electrically Erasable Read-Only Memory (EEROM)	*Mémoire Morte Effaçable Électriquement (MMEE)*
volatility	*la volatilité*
volatile memory	*la mémoire volatile*
non volatile memory	*la mémoire non volatile*
flash memory	*la mémoire flash*
uniform accessible memory	*la mémoire à accès direct*
serial access memory	*la mémoire à accès séquentiel*
fixed-disc storage	*la mémoire à disque dur*
direct memory access (DMA)	*accès direct mémoire*
data break / direct store transfer	*accès mémoire direct*

2.3. Functions of memory — *Les fonctions de la mémoire*

mass memory / storage	*la mémoire de masse*
a memory unit	*une unité de mémoire*
dynamic memory	*la mémoire dynamique*
a control memory	*la mémoire de commande / de contrôle*
main storage / core memory	*la mémoire principale / centrale*
a refresh memory	*la mémoire d'entretien / de rafraîchissement*
a secondary memory / peripheral storage	*une mémoire secondaire / auxiliaire*
file storage	*la mémoire fichier*

2.4. Cache memory — *La mémoire cache*

cache memory / scratchpad memory / cache storage	*la mémoire cache*
cache	*mémoire cache / antémémoire*
cache buffer	*mémoire cache / mémoire tampon*
a cache disk	*un disque antémémoire*
a caching algorithm	*un algorithme d'exploitation de la mémoire cache*
to cache	*mettre en mémoire cache*
caching	*la mise en mémoire cache*
disk caching	*la mise en mémoire cache du contenu d'un disque*

3. Bulk storage — *La mémoire de masse*

3.1. Computer storage — *La mémoire d'ordinateur*

mass storage	*la mémoire de grande capacité*
a storage device / storage / a store	*une mémoire / un stockage*
a memory	*une mémoire*
memory technology	*les technologies de la mémoire*
memory store	*le rangement en mémoire*
storage requirement	*le besoin en mémoire*
storage / memory capacity	*la capacité de la mémoire*
actual storage	*la mémoire physique*
main / auxiliary storage	*la mémoire principale / auxiliaire*
a main storage unit	*une mémoire centrale*
the main memory / main store	*la mémoire centrale*
primary / secondary storage	*la mémoire primaire / secondaire*
internal / external storage	*la mémoire interne / externe*
secondary store	*la mémoire auxiliaire*
workspace	*espace de travail*
available memory	*la mémoire disponible*
memory size	*la taille de la mémoire*
computer memory access speed	*vitesse d'accès à la mémoire*
a memory counter	*un compteur à mémoire*
a memory cell	*une cellule mémoire*
a core memory / a central memory	*une mémoire centrale*
a backing store	*une mémoire de sauvegarde*

3.2. Tapes — *Les bandes*

a tape	*une bande*
a bootstrap	*une amorce*
a tape leader	*une amorce de bande*

a load point	*une amorce de début*
a trailer	*une amorce de fin*
a backing tape	*une bande de sauvegarde*
a bootstrap tape	*une bande-amorce*
an input stack tape	*une bande d'entrée*
a magnetic tape	*un bande magnétique*
an optical tape	*une bande optique*
a printer tape	*une bande d'impression*
a program tape	*une bande de programme*
a punched tape	*une bande perforée*
a work tape	*une bande de travail*
a head	*une tête*
a recording head / a writing head	*une tête d'écriture*
an erasing head	*une tête d'effacement*
a print head	*une tête d'impression*
a playback head	*une tête de lecture*
a ribbon	*un ruban*
a sticker	*un réflecteur*
a magnetic tapes room	*une bandothèque / une bibliothèque de bandes*

3.3. Cards — *Les cartes*

a mother board / the main circuit board / the system board	*la carte-mère*
an accelerator card / a turbo card	*une carte accélératrice*
a color adapter	*une carte couleur*
a display adapter	*une carte d'écran*
a graphics board / a graphic display adapter	*une carte graphique / un adapteur*
an add-on card	*une carte d'extension / une carte additionnelle*
a capture card	*une carte de capture (d'images)*
a chipcard / a smart card	*une carte à microcircuit / une carte à puce*
an electronic card / a smart card	*une carte à mémoire*
an initial card	*une carte d'en-tête*
a hard card	*une carte disque dur*
a heading card	*une carte de tête*
a machine card	*une carte objet*
a memory card / a storage card	*une carte de mémoire*
a punched card	*une carte perforée*
a program header card	*une carte en-tête de programme*
a quick reference card	*une carte aide-mémoire*
a card file	*un fichier de cartes*
a card deck / a card pack	*un jeu de cartes*
a card reader	*un lecteur de cartes*
a card sorter	*une trieuse de cartes*
card feed	*le mécanisme d'alimentation en cartes*

a card load	*une carte de charge*
card jam	*le bourrage de cartes*
a card punch	*un perforateur de cartes*

3.4. Disks — *Les disques*

a disk drive	*un lecteur de disquettes*
a disc storage unit	*une unité de mémoire à disques*
a disk / a disc	*une disquette*
a disc cartridge	*une cartouche disque*
a slave disc	*un disque asservi*
a master disc	*un disque maître*
a system disc	*un disque système*
a fixed disc / a hard disc / an integral disc	*un disque fixe / un disque dur*
a hard-disk drive / a hard drive	*une unité de disque dur*
a disk pack / a removable hard disk	*un disque dur amovible*
a floppy disk / a diskette	*une disquette (souple)*
a magnetic disk	*un disque magnétique*
a removable magnetic disk	*un disque amovible*
a disc operating system (DOS)	*un système d'exploitation de disques (SED)*
a magnetic disk store	*une mémoire à disques magnétiques*
an optical disk	*un disque optique*
a video disk	*un vidéodisque*
a compact disk read-only memory (CD-ROM)	*un disque optique numérique (cédérom)*
a write once optical disk (WOOD)	*un disque inscriptible une seule fois*
a laser beam	*un faisceau laser*
an opto-magnetic disk	*un disque magnéto-optique*
a streamer	*un dérouleur de bande / un dévideur*
a magnetic head	*une tête magnétique*
a track	*une piste*
an elementary area	*une zone élémentaire*
bit per inch density (BPI)	*la densité en piste au pouce (TPI)*
a sector	*un secteur*
a face	*une face*
double faced	*à double face*
a cylinder	*un cylindre*
double density	*double densité*
high density	*haute densité*
formating	*le formatage*

Chapitre XVII

The Printer
L'imprimante

1. Types of printers — *Les modèles d'imprimantes*

a printer (PRT)	*une imprimante*
an output peripheral	*un périphérique de sortie*
a bubble-jet printer	*une imprimante à bulles d'encre*
a character printer	*une imprimante caractère par caractère*
a colour printer	*une imprimante couleur*
a daisy-wheel printer	*une imprimante à marguerite*
a dot printer	*une imprimante à aiguilles*
a dot matrix printer	*une imprimante matricielle à aiguilles*
an electrographic printer	*une imprimante électrographique*
an ink-jet printer	*une imprimante à jet d'encre*
a laser printer	*une imprimante laser / à laser*
a line printer	*une imprimante en ligne*
a parallel printer	*une imprimante parallèle*
a serial printer	*une imprimante série*
a thermal printer	*une imprimante à transfert*
a xerographic printer	*une imprimante xérographique*

2. Hardware / software — *Le matériel / les logiciels*

an acoustic hood	*un capot d'insonorisation*
a carrier	*un chariot*
a belt printer	*un lecteur de bande*
a printing head	*une tête d'impression*
a printing pin	*une aiguille d'impression*
a print barrel	*un cylindre d'impression*
a print bar	*une barre d'impression*

a ribbon	*un ruban*
printing pressure	*la force d'impression*
a sprocket / a pin	*un ergot / un picot*
toner	*encre (en poudre)*
a toner cartridge	*une cartouche de poudre*
to ink / to re-ink	*encrer / ré-encrer*
inking	*encrage*
ink density	*la densité d'encrage*
void	*le défaut d'encrage*
wysiwyg (what you see is what you get)	*tel écran tel écrit (ce que vous voyez = ce que vous demandez)*
an item list	*une liste d'articles*
a switch panel	*un panneau de commandes*
a dual inline package (DIP)	*un panneau de commutateurs*
a buffer	*une mémoire tampon / un tampon*
a driver	*un pilote d'imprimante*
a page-description language	*un langage de description de page*

3. Paper feed — *L'alimentation papier*

to supply a paper copy	*fournir une trace écrite*
to feed	*alimenter*
on line / ready	*en ligne / prêt(e)*
line feed (LF)	*un passage à la ligne*
form feed (FF)	*le changement de page*
a feeder	*un alimenteur*
face-down feed	*alimentation recto*
face-up feed	*alimentation verso*
sheet feeding	*alimentation feuille à feuille*
front feed	*alimentation frontale*
the paper rest	*le support du papier*
a paper guide	*un guide du papier*
an input tray	*un bac d'alimentation*
an output tray	*un bac de sortie*
paper low	*le manque de papier*
paper out	*fin de papier*
an input hopper / a feeder bin / an input magazine	*un magasin d'alimentation*
misfeed	*la mauvaise alimentation*

4. Printing paper — *Le papier d'imprimante*

a sheet	*une feuille*
a single / cut sheet	*une feuille simple*
a ream	*une rame*
fanfold paper	*le papier en continu plié*

listing paper	*le papier listing*
sprocketed paper	*le papier à perforations / le papier carole*
sprocket-free paper	*le papier non perforé*
zig-zag folded paper	*le papier pliage accordéon*
pin-fed paper	*le papier perforé*

5. Printing — *L'impression*

printing	*le tirage*
magnetic printing	*la magnétographie*
to print / to imprit	*imprimer / tirer / faire un tirage*
imprint	*impression*
colour print	*impression couleur*
printable / non printable	*imprimable / non imprimable*
output	*sortie*
a print yoke	*un mécanisme d'impression*
print speed / printing speed	*la vitesse d'impression*
the print span	*la largeur d'impression*
a list mode	*un mode d'impression*
the portrait mode	*le format portrait*
landscape mode	*le format à l'italienne*
draft mode	*le mode listage*
graphic mode	*le mode graphique*
printing type	*caractères d'imprimerie*
listing / printout	*le listage*
multiple copy printing	*multi-impression*
a message printout	*une impression de messages*
a printable character	*un caractère imprimable*
a null character	*un blanc*

6. Characters — *Les caractères*

a character set	*un jeu de caractères*
a type fount / a (character) font / a font (USA) / a character set	*une police de caractères*
a type face	*un type de caractères*
a type style	*un style de caractères*
a character / type	*un caractère / un type*
to set type	*composer*
an alphanumeric	*un caractère alphanumérique*
a numeric character	*un caractère numérique*
a character code	*un code de caractères*
an alpha character	*un caractère alphabétique*
a character key	*une touche à caractère*
face / typeface	*le style de caractères*

a type array	*un ensemble de caractères*
character size	*la taille de caractères*
a start of text character (STX)	*un caractère de début de texte*
an end of run character (EOR)	*un caractère de fin d'exécution*
an end of line character (EOL)	*un caractère de fin de ligne*
the upper legend character	*le caractère supérieur*
the lower legend character	*le caractère inférieur*
uppercase / lowercase	*haut de casse / bas de casse*
a punctuation key	*une touche de ponctuation*
an initial cap	*une lettrine*
large cap	*grande capitale*
small cap	*petite capitale*
an idle character	*un caractère d'attente*
large type	*gros caractères*
an ignore character / a rub out character	*un caractère d'effacement*
a group erase	*un caractère d'effacement de groupe*
a functional character	*un caractère de commande*
a gothic character	*un caractère gothique*
an insertion character	*un caractère de mise en forme*
a layout character	*un caractère de présentation*
a joker / a wildcard	*un caractère de remplacement*
a character display / a read-out device	*un visuel à caractères*

7. Lines — *Les lignes*

a card row / a line / a trunk	*une ligne*
mounted on-ligne	*accessible en ligne*
a line receiver	*un coupleur de ligne*
a line start	*un début de ligne*
line density	*la densité de lignes*
vertical pitch	*espacement de lignes*
raster display	*image ligne par ligne*
a line length	*une longueur de ligne*
line printing	*impression par ligne*
a null line	*une ligne blanche*
line advance / line skip / line feed	*saut de ligne*
width	*la longueur de ligne*

8. Graphs — *Les graphes*

a graph	*un graphe*
a vertex	*un sommet*
an edge	*une arête*

a complete graph	*un graphe complet*
an indirected graph	*un graphe non orienté*
a directed graph / a digraph	*un graphe orienté*
a planar graph	*un graphe planaire*

9. Paging — *La pagination*

to lay out	*mettre en page*
layout	*la mise en page*
carriage return (CR)	*retour chariot*
line feed	*le saut de ligne*
form feed	*le saut de page*
a full page	*une pleine page*
a page skip	*un saut de page*
justification	*la justification / le cadrage*
to page	*paginer*
a layout instruction	*une instruction de mise en page*
a format effector (FE)	*une fonction de mise en page*
page fixing / page setting	*la mise en place de page*
a page end indicator	*un indicateur de fin de page*
footing	*le bas de page*
a footnote	*une note de bas de page*
a page break	*un changement de page*
page overflow	*le dépassement de page*
a page counter	*un compteur de pages*
foot / head margin	*espace de bas / haut de page*
page numbering	*le foliotage / la pagination*
a page frame	*un cadre de page*
page storage	*la mémoire paginée*

10. Printing quality — *La qualité d'impression*

a printjob	*une tâche d'impression*
print features	*caractéristiques d'impression*
resolution	*la finesse d'impression*
high res output / low res output	*sortie haute / basse résolution*
preslew	*avance papier avant impression*
postslew	*avance papier après impression*
a print field	*un champ d'impression*
print escapement	*le déclenchement de l'impression*
a misprint	*une erreur d'impression / une coquille*
underprinting	*impression faible*
full stamp	*impression intégrale*
line printing	*impression par ligne*
draft quality	*la qualité brouillon / listage*

letter quality (LQ)	*la qualité courrier*
near-letter quality (NLQ)	*la qualité proche du courrier*
a print storage	*une mémoire d'impression*
a platen	*un rouleau d'impression*
a hard copy	*une recopie d'écran*

Chapitre XVIII

The Computer Screen
L'écran d'ordinateur

1. Types of screens — *Les types d'écrans*

a back-lit screen	*un écran éclairé par derrière*
a cathode ray tube (CRT)	*un écran cathodique*
a flat-faced screen	*un écran plat*
a gas-plasma-filled screen	*un écran à plasma*
a glow screen	*un écran protecteur*
a keyboard display	*un écran-clavier*
a laser screen	*un écran à laser*
a liquid crystal display (LCD) screen	*un écran à cristaux liquides*
a storage screen	*un écran à mémoire*
a supertwist screen	*un écran à torsion accrue*
a touchscreen	*un écran tactile*
a filter	*un filtre*
to avoid eye strain	*éviter la tension occulaire*
a privacy filter	*un filtre confidentiel*

2. Screen parts — *Les composants de l'écran*

a console	*un pupitre de commande / une console*
a duplex console	*une console commune*
an operator console	*une console opérateur*
a test console	*une console d'essai*
a swivel stand / a tilt stand	*une base inclinable / pivotante*
a visual display unit (VDU)	*un visuel*
to display	*visualiser*

a display	*une visu / une console / une console de visualisation*
a display unit	*une unité d'affichage visuel*
a display device	*une console de visualisation*
a cathode ray tube (CRT) / a picture tube	*un tube à rayons cathodiques (TRC)*
a phosphor	*un luminophore*
a storage display	*une visu à mémoire*
a display controller	*un contrôleur d'écran*
a display driver	*un gestionnaire d'écran*
a display cursor	*un curseur d'écran*
top of screen	*haut d'écran*
bottom of screen	*bas d'écran*
screen edges	*les bords d'écran*

3. Screen display — *L'affichage sur écran*

a display terminal	*un poste d'affichage*
visual display	*la visualisation*
a display unit / a display console / a visual display terminal (VDT)	*une console de visualisation*
to view / to visualize	*visualiser*
visual indicator / readout / display	*affichage*
Liquid Crystal Display (LCD)	*affichage à cristaux liquides*
screen erasure	*effacement à l'écran*
partial screen erase	*effacement partiel de l'écran*
full screen erase	*effacement complet de l'écran*
screen down	*écran suivant*
screen up	*écran précédent*

4. The display image — *L'image*

a pel (a picture element) / a pixel	*un élément d'image / un pixel*
a numerical picture	*une image numérique*
a realistic picture	*une image réaliste*
a synthetic picture	*une image de synthèse*
a screen image	*une image d'écran*
a card image	*une image de carte*
a printed image	*une image imprimée*
a sprite	*une image-objet / un sprite*
an icon	*une icône / un pictogramme*
a folder icon	*une icône de dossier*
a display menu	*un menu d'écran*
a menu screen	*un affichage menu*
a screen attribute	*un attribut d'écran*
a display image	*une image*
a background image	*une image d'arrière-plan*
a raster display	*une image ligne par ligne*

an image digitiser	*un numériseur d'image*
an image band	*une bande de fréquence image*
an image data base	*une base de données image*
display scrolling	*le défilement d'image*
vertical / horizontal scrolling	*le défilement vertical / horizontal*
dragging	*entraînement d'image*
an item picture	*une image de la structure*
a soft copy	*une image*
a hard copy	*une recopie d'écran sur imprimante / une impression écran / une copie papier*
image space	*la mémoire image*
image storage space	*la zone d'image*
image processing	*le traitement d'image*
video service	*la transmission d'image*
a color screen	*un écran couleur*
a color palette	*une palette de couleurs*
a monochrome screen	*un écran monochrome*
amber / green / red	*ambre / vert / rouge*
paper-white	*blanc*

5. Display features — *Les caractéristiques de l'affichage*

a display format	*un format d'affichage*
a display line / a scan line	*une ligne de balayage*
analogue display	*affichage analogique*
scan / sweep	*le balayage*
raster scan display	*à balayage de trame*
browsing scanning	*analyse par balayage*
horizontal sweep	*le balayage horizontal*
reverse scan	*le balayage inversé*
to scan / to sweep	*balayer*
scrolling	*le défilement de l'image*
a refresh rate	*la vitesse de régénération*
screen resolution	*la résolution de l'écran*
high / low resolution	*à haute / basse résolution*
a character	*un caractère*
a column	*une colonne*
a dot	*un point*
dot matrix display	*affichage par points*
brightness	*la luminosité*
contrast	*le contraste*
flicker	*le scintillement*
flicker-free	*sans scintillement*
glare-free	*antireflet*
a filter	*un filtre*
a glare shield	*un écran anti-éblouissant*
distortion	*la distorsion*

Chapitre XIX

Graphic Interface
L'interface graphique

1. Computer graphics — *L'infographie*

1.1. General backgound — *Généralités*

computer graphics	*infographie*
computer-generated graphics	*images de synthèse*
interactive computer graphics	*infographie interactive*
Graphic User Interface / graphical user interface (GUI)	*interface graphique utilisateur*
computer-assisted design (CAD)	*la conception assistée par ordinateur (CAO)*
Bézier patches	*(surfaces de) Bézier*
computer-assisted drawing (CAD)	*le dessin assisté par ordinateur (DAO)*
graphical representation	*la représentation graphique*
interactive graphics	*infographie dialoguée*
a WIMP interface (windows, icons, mouse and pull-down menus) / an iconic interface	*une interface à base de fenêtres, d'icônes, de souris et de menus déroulants*
a graphic display program	*un programme de graphique*
a graphic display unit	*une unité de visualisation graphique*
raster graphics	*infographie matricielle*
graphic form	*sous forme graphique*
a graphic / graphics (software) package	*un grapheur / progiciel d'infographie*
graphic / graphics software	*logiciels graphiques*
raster mode	*la méthode par balayage*

1.2. Graphics — *Le graphisme*

grayscale graphics	*images en niveaux de gris*
line plotting	*le dessin trait par trait*
vector mode	*la méthode vectorielle*
point plotting	*le tracé point par point*
a flowchart	*un organigramme*
a histogram / bar chart	*un histogramme / diagramme en bâtons*
a scatter chart	*un graphique en nuages de points*
a sprite	*une image-objet*
a pixel	*un pixel / élément d'image*
a bit map screen	*un écran pixel / un écran pixélisé*
alphageometric	*alphagéométrique*
alphamosaic	*alphamosaïque*
DRCS (Dynamically Redefinable Character Set) / alphaphotographic	*norme d'affichage alphaphotographique*

1.3. Tree structure — *L'arborescence*

a root	*une racine*
a leaf	*une feuille*
a binary tree	*un arbre binaire*
a full tree	*un arbre complet*
a node	*un nœud*

2. Components — *Les composants*

2.1. Icons — *Les icônes*

an icon	*une icône*
an application icon	*une icône d'application*
a folder icon	*une icône de dossier*
to point at an icon	*positionner le pointeur*
icon dragging	*le déplacement d'icône*
a timer	*un sablier*

2.2. Menus — *Les menus*

a menu	*un menu*
a display menu	*un menu d'écran*
a menu screen	*un affichage menu*
a menu bar	*une barre de menu*
a menu-driven application	*un programme présenté avec menu*

a menu-driven program	*un programme piloté par menu*
a pop-up menu	*un menu à affichage instantané / un menu mode fenêtre*
a menu option	*une option d'un menu*
to select a menu item	*choisir une option d'un menu*
to make a selection from a menu	*choisir des options*
a menu list	*une liste d'options*

2.3. Windows — *Les fenêtres*

a window	*une fenêtre*
a windowing system	*un logiciel à fenêtrage*
an active window	*une fenêtre active*
an application window	*une fenêtre principale*
overlapping windows	*fenêtres en chevauchement*
a pop-up window	*un mode fenêtre*
side-by-side windows	*fenêtres juxtaposées*
windowing	*le fenêtrage*
a windowing mark / a close box	*un symbole de fermeture*
a full screen box	*une case plein écran*
a dialog box	*un cadre de dialogue*
the resize box	*le cadre de dimensions*
a scroll bar	*une barre de défilement*
a scroll arrow	*une flèche de défilement*
a header	*une barre de titre*
the zoom	*la loupe*

3. Graphic-related peripherals — *Les périphériques associés à l'interface graphique*

a graphics terminal (GT)	*un terminal graphique*
a graphics pad / a digitizer	*une tablette à numériser*
a graphic console	*une console graphique*
a graphic(s) tablet	*un traceur graphique / une tablette graphique*
a graphic panel	*un tableau graphique*
a graphic plotter	*une table graphique*
a touch screen	*un écran tactile*
a pointing device	*un dispositif de pointage*
a light pen	*un photostyle*
a pen holder	*un porte-plume*
a stylus	*un stylet*
to click the stylus	*cliquer le stylet*
a mouse	*une souris*
a trackball / a rolling ball	*une boule de commande*
the mouse roller ball	*la boule de déplacement de la souris*
the mouse push-buttons	*les boutons-pressoirs de la souris*

the mouse pointer	*le pointeur de la souris*
the mouse pad	*le tapis de la souris*
to click / to double click	*cliquer / cliquer deux fois*
to point and click	*pointer et cliquer*
to drag the mouse	*traîner la souris*
a stylus / a lightpen / a light sensor / a wand scanner	*un crayon optique*
a scanner	*un scanner / un scanneur*
a handheld scanner	*un scanner à main*
a flatbed scanner / a desktop scanner	*un scanner de table*
a cartridge	*un chargeur / une cartouche*
a serial transmission line	*une ligne de transmission série*
a sensor	*un capteur*

4. Plotters — *Les traceurs*

to plot	*tracer*
a plotter	*une table traçante*
a curve plotter	*un traceur de courbes*
a drum plotter	*un traceur à tambour*
a flat-bed plotter	*un traceur à plat*
a flatbed plotter / a plotting board	*une table à tracer*
an incremental plotter	*une table traçante*
a graphics plotter	*une table graphique*
a graph plotter	*un traceur de courbes*
an intelligent plotter	*un traceur intelligent*
a printer plotter	*un traceur électrostatique*
a roll plotter	*un traceur à rouleaux*

5. Graphic standards — *Les normes graphiques*

a graphics adapter	*une carte graphique / un adaptateur graphique*
Color Graphic Adaptator (CGA)	*écran / carte CGA (carte graphique couleur)*
Enhanced Graphic Adaptator (EGA)	*écran / carte EGA (carte graphique améliorée)*
Professional Graphic Adapter (PGA)	*écran / carte PGA (carte graphique professionnelle)*
Video Graphics Array (VGA)	*écran / carte VGA (matrice graphique vidéo)*
Monochrome Display Adapter (MDA)	*écran / carte graphique monochrome*
Hercules monochrome graphics adapter	*écran / carte Hercules (carte graphique Hercules)*

Chapitre XX

Maintenance and Repair
Entretien et réparation

1. Technical documentation — *La documentation technique*

1.1. General background — *Généralités*

design documentation	*la documentation pour la conception*
manufacturing documentation	*la documentation pour la fabrication*
operating documentation	*consignes d'utilisation*
assembly documentation	*consignes de montage*
dismantling documentation	*consignes de démontage*
repair documentation	*consignes de réparations*
maintenance documentation	*la documentation de maintenance*
to update documentation	*réactualiser la documentation*
to bring up to date	*réactualiser*
a technical document	*un document technique*
documentary	*documentaire*
international protection (IP)	*IP : protection selon la norme internationale*

1.2. Instructions — *Les instructions*

instructions / directions	*instructions*
operating instructions / running instructions	*le mode d'emploi*
instructions for use / directions for use	*un mode d'emploi*
assembly instructions	*une notice de montage*
dismantling instructions	*une notice de démontage*
repair instructions	*une notice de réparation*

to follow the instructions	*suivre les instructions*
an instruction manual	*une notice explicative*
an operating manual / an operational handbook / an instruction book	*un manuel d'utilisation*
a user's reference manual	*un manuel de l'utilisateur*
a technical handbook	*un manuel technique*
instruction sheets	*fiches d'instructions*
notes of use / hints on use	*conseils d'utilisation*
precautions for use	*précautions d'emploi*
precautions for storage	*précautions de rangement*
general procedure	*la marche à suivre*
to instruct / to train (in the use of)	*former (à l'emploi de)*

1.3. Design considerations — *La conception en question*

a design bureau / a drawing office	*un bureau d'études*
industrial design	*la création industrielle*
machine drawing	*le dessin industriel*
a drawing board	*une planche à dessin*
to be on the drawing board	*être à l'étude*
a draftsman	*un dessinateur*
manufacturing drawings	*plans de fabrication*
a diagram	*un schéma de montage*
a rough sketch	*une ébauche*
an installation drawing	*un dessin de montage*
a design	*un dessin*
a designer	*un dessinateur*
to design	*dessiner / projeter / concevoir*
at designing stage	*en cours d'étude*
a property	*une propriété*
an inspection report	*une fiche de contrôle*
a design fault	*un défaut de conception*

1.4. Lifetime — *La durée de vie*

to last	*durer*
laboratory-controlled evaluation	*essais en laboratoire*
the life cycle	*le cycle de vie*
life / lifetime	*la durée de vie*
life expectancy / useful life	*la durée de vie estimée*
acceptable mean life	*la durée moyenne de vie acceptable*
service life	*la durée de service*
life span	*la longévité*
design life	*la durée de vie objective*
operational life / working life	*la durée de fonctionnement*
storage life / shelf life	*la durée de conservation*

obsolescence	*l'obsolescence*
obsolete	*obsolète / désuet*
to obsolesce / to fall into disuse	*tomber en désuétude / vieillir*
to age	*vieillir*
to wear out	*s'user*
wear and tear	*l'usure*
to replace	*remplacer*
replacement	*le remplacement*

1.5. Technical data — *Les données techniques*

technical data / technical features / technical specifications	*caractéristiques techniques*
leading particulars	*caractéristiques principales*
a list of specifications (specs) / a specification sheet	*une fiche signalétique*
specifications	*le cahier des charges*
characteristics	*caractéristiques*
to meet requirements	*répondre aux exigences*
physical standards	*normes physiques*
regulatory standards	*normes officielles*
public standards	*normes publiques*
an information sheet	*un document publicitaire*
a product brief	*un dossier (d'un produit)*
a parts list	*une nomenclature (de pièces)*
a parts number list	*une liste de références de pièces*
an installation guide	*une notice d'installation*
a blueprint	*un plan détaillé*
a wiring chart	*un schéma de câblage*
place of origin	*indication d'origine*
to appear on	*apparaître sur*

2. Maintenance — *L'entretien*

2.1. General background — *Généralités*

to maintain	*entretenir*
maintenance costs	*coûts d'entretien*
maintenance instructions	*une notice d'entretien*
preventive maintenance	*la maintenance préventive*
predictive maintenance	*la maintenance prévisionnelle*
corrective maintenance / curative maintenance	*la maintenance corrective*
stop-gap maintenance	*la maintenance palliative / le dépannage*
emergency maintenance	*la maintenance de premier secours*
scheduled maintenance	*la maintenance systématique*

remote maintenance	*la télémaintenance*
third party maintenance	*la maintenance tierce partie / la tierce maintenance*
computer aided maintenance management	*la gestion de maintenance assistée par ordinateur (GMAO)*
a maintenance manual	*un manuel de maintenance*
an instruction manual	*une notice explicative*
an operator manual	*un manuel d'utilisation*
a user's guide	*un manuel de l'utilisateur*
a run book	*un dossier d'exploitation de progiciel*
maintenance procedures	*procédures de maintenance*
maintenance standards	*normes de maintenance*
a maintenance agreement	*un contrat d'entretien*
scheduled maintenance	*entretien systématique*
to carry out maintenance (on)	*effectuer des travaux de maintenance sur*
to require next to no maintenance	*ne demander pratiquement aucun entretien*
low-maintenance	*nécessitant peu d'entretien*
maintenance-free	*sans entretien*
zero maintenance	*la maintenance zéro*
data maintenance	*la maintenance de données*
software support service	*la maintenance de logiciel*
computing evaluation	*la métrologie informatique*
a monitor	*un logimètre / un moniteur*
a hardware monitor	*un logimètre câblé*
software monitor	*logimètre programmé*
a probing-point	*un point de sonde*

2.2. Servicing — *L'entretien*

a unit	*un organe*
to service	*procéder à l'entretien de...*
to service computers	*s'occuper de l'entretien des ordinateurs*
to put in for services	*mettre à la révision*
service operations	*opérations d'entretien*
a red-tape operation	*une opration d'entretien*
a service handbook	*un carnet d'entretien*
service aids	*indications pratiques*
repair	*entretien*
servicing	*entretien cournt / révisions*
preventive servicing	*l'entretien préventif*
periodic servicing	*l'entretien périodique*
general servicing	*une révision générale*
a servicing manual / a service handbook	*un manuel d'entretien*
a service contract	*un contrat d'entretien*

serviceability	*la facilité d'entretien / de réparation*
service life / useful life	*la durée de vie (d'une machine)*
serviced	*rénové*
a red-tape operation	*une opération d'entretien*
an overhaul	*une révision générale*
to overhaul	*effectuer une révision*
adjustment / timing	*le réglage*
to clean	*nettoyer*
cleaning	*le nettoyage*
a tool kit	*une boîte à outils*

2.3. The maintenance department — *Les services d'entretien*

a maintenance operator	*un agent de maintenance*
a maintenance engineer / a service engineer / a service technician	*un technicien de maintenance*
a serviceman / a repairman	*un réparateur*
a fault finder / a fault tracer / a repairman / a serviceman	*un dépanneur*
a service center	*un spécialiste*
to call in a technician for service	*faire venir un réparateur*
a troubleshooter	*un dépanneur (homme / appareil)*
a service department	*un service des réparations / d'entretien*
a service shop	*un atelier de réparation*
maintenance facilities	*moyens de maintenance*
on-site servicing / on-site service	*interventions clientèle*
in-home service	*intervention à domicile*
in-office servicing	*intervention sur place / sur site*
a service call	*une visite de service*

3. Checking — *Les vérifications*

3.1. Types of checks — *Les types de vérification*

regular checks	*le suivi régulier*
a periodic check	*une vérification périodique*
a check-out system	*un système de vérification*
a regular check	*une inspection régulière*
built-in check	*le contrôle incorporé*
cyclic redundancy check	*le contrôle de redondance cyclique*
error check	*le contrôle d'erreur*
flow control	*le contrôle de flux*
isarhythmic control	*le contrôle isarythmique*
parity check	*le contrôle de parité*

3.2. Checking — *Les vérifications*

to check	*vérifier*
a check up	*une inspection technique*
a check list	*une liste de contrôles*
to undergo checks	*subir des vérifications*
to carry out checks	*effectuer des vérifications*
to cross check	*procéder à un contrôle croisé*
to double check	*revérifier*
a diagnostic check	*un contrôle diagnostic*
to monitor	*surveiller*
monitoring	*le suivi*
a monitoring system	*un système de contrôle*
a final checkout	*une vérification finale*
to test	*tester / vérifier*
an alpha-test	*un alpha-test*
a beta-test	*un bêta-test*

4. Technical trouble — *Les ennuis techniques*

4.1. General background — *Généralités*

an abnormality / an anomaly	*une anomalie*
a breakdown	*une panne / un dérangement*
to abort	*abandonner*
to break down	*tomber en panne*
a defect	*un défaut*
defective	*défectueux*
a failure	*un incident / une panne / une avarie / une défaillance*
equipment failure	*la panne d'équipement*
an event	*une panne / une avarie*
failure prediction	*la prévision d'incidents*
a failure rate	*un taux d'avarie*
an induced failure	*une panne induite*
a chance failure / a random failure	*une panne aléatoire*
an early failure	*une panne infantile*
an initial failure	*une défaillance prématurée*
power failure	*la défaillance secteur*
a primary failure	*une défaillance primaire*
random failure	*l'avarie erratique*
an undetected failure	*une panne dormante*
a wearout failure	*une défaillance par usure (prévisible)*
point-of-failure	*le lieu d'une panne*
a failure report	*un rapport d'incident*
mean time to failure (MTTF)	*le temps de bon fonctionnement*
mean time between failures (MTBF)	*le temps moyen entre pannes*

mean time to repair (MTTR)	*le temps moyen de réparation*
down time	*la durée hors opération*
failure recovery	*la reprise après avarie*
a fault	*un ennui technique*
faulty	*en dérangement*
fault tolerance	*la tolérance aux pannes*
fault tolerant	*tolérant aux pannes*
a flaw	*un défaut / une déficience*
flawed	*défectueux*
a glitch	*un pépin*
an irregularity	*une irrégularité*
a maladjustment	*un dérèglement*
maladjusted	*déréglé*
a malfunction	*un mauvais fonctionnement*
to malfunction	*se dérégler*
malfunction time	*la durée de défaillance*
an operating incident	*un incident de fonctionnement*
out of service	*hors service*
a problem	*une panne*
a stoppage	*un arrêt (momentané)*
a shutdown	*une immobilisation*
to shut down	*(s')immobiliser / paralyser*
trouble	*incidents*

4.2. Power failures — *Les pannes de courant*

a power failure / a power outage / a power cut	*une coupure de courant / une défaillance secteur*
a power dump / an AC dump	*une coupure d'alimentation*
an outage	*une coupure de courant / une interruption de service*
a glitch	*une petite coupure*
a dimout	*un black-out partiel*
to dim out	*plonger dans un black-out partiel*
a brownout	*une baisse de tension*
a power drop	*une chute de tension*
a surge	*une surtension*
a spike	*une pointe de tension*
overload / overvoltage	*la surtension*
sticking voltage	*la tension limite*
cut off voltage	*une coupure de tension*
to cut off	*couper*
voltage reduction	*la baisse de tension*
undervoltage	*la sous-tension*
dead	*sans tension*
a short-circuit	*un court-circuit*
to short-circuit	*mettre hors circuit / court-circuiter*
a current indicator	*un indicateur de courant*

4.3. Troubleshooting — *La localisation de pannes*

to troubleshoot	*localiser la cause d'une panne*
a troubleshooting guide	*une notice de recherche de pannes*
a troubleshooting procedure	*une procédure de recherche de panne*
a troubleshooter	*un expert en détection de pannes*
to troubleshoot a computer	*réparer un ordinateur*
a check list	*une liste des vérifications*
a fault-finding chart	*un tableau de dépannage*
fault finding	*la recherche des pannes*
fault tracing	*le dépistage des pannes*
to localize / to locate a fault	*localiser une panne*
fault localization / fault tracing	*la localisation des pannes*
to find a fault	*déceler une panne*
to track a mishap	*rechercher la panne*
to be fault-prone / failure-prone	*être enclin à la panne*
to develop (a fault / a glitch)	*avoir un ennui technique*
to note / to detect / to sense	*déceler*
to report	*signaler*
failure logging	*le journal des pannes*
a trouble report	*un registre d'incident*
to identify	*trouver la cause de*
to diagnose	*diagnostiquer*
diagnosis	*le diagnostic*
a diagnostic aid	*un outil de diagnostic*
diagnostic techniques	*techniques de diagnostic*
diagnostic equipment	*le matériel de diagnostic*
an event marker	*un détecteur d'avarie*
an analysis instrument	*un instrument d'analyse*
a spectrum analyser	*un analyseur de spectre*
an indicator	*une indication*
a signature	*une signature*
to correct a problem	*supprimer une panne*
to rectify	*remédier*
defect-free / fault-free / problem-free / trouble-free	*sans défaut / sans ennuis / sans incidents / régulier*
trouble-proof	*anti-panne*

4.4. Errors — *Les erreurs*

an error / a graunch	*une erreur*
error code	*code d'erreur*
error detection	*la détection d'erreur*
error diagnostic	*un diagnostic d'erreur*
an error detection code (EDC)	*un code détecteur d'erreurs*
an error burst	*une séquence d'erreur*
a catastrophic error	*une erreur catastrophique*
a coding error	*une erreur de programmation*

an error-free operation	*une opération sans erreur*
an execution error	*une erreur d'exécution*
a hard error	*une erreur matériel*
a loading error	*une erreur de charge*
a logging error	*une erreur d'acquisition*
a logical error	*une erreur de logique*
a mismatch	*une erreur de mélange de genre*
a misread / a read error	*une erreur de lecture*
a mistype	*une erreur de frappe*
a coding mistake	*une erreur de programmation*
a read error	*une erreur de lecture*
a software error / a soft error	*une erreur logiciel*
an unrecoverable error	*une erreur irrécupérable*
a write error / a miswrite	*une erreur d'écriture*

4.5. Computer failures — *Les pannes d'ordinateur*

a probe	*une sonde*
a computer failure	*une panne d'ordinateur*
a system crash	*une panne du système d'exploitation*
a breakdown	*une panne / un incident*
a crash	*une panne (matériel / logiciel)*
a head crash	*une panne de tête de lecture*
a screen blackout	*une panne d'écran*
to crash / to fall	*tomber en panne*
to be down	*être en panne*
point of failure	*le lieu de la panne*
MTBF (Mean Time Between Failures)	*le temps moyen entre pannes*
MTTR (Mean Time To Repair)	*le temps moyen de réparation*
downtime	*le temps perdu causé par des pannes*
crash-proof	*à l'abri des pannes*
to crash-proof a hard disk	*prévenir une panne sur disque dur*
an Accu Card	*une carte d'extension (permet de sauvegarder en cas de coupure de courant)*

4.6. Faults — *Les avaries*

an alarm	*une alarme*
a fault	*un ennui technique*
damage / a fault	*une avarie*
a hardware failure	*un incident technique / une défaillance*
a malfunction	*une défaillance / un dérangement*
malfunction time	*la durée de défaillance*

to malfunction	*se dérégler*
an exception	*une anomalie*
a flaw	*un défaut*
power failure	*une défaillance de secteur*
to seize	*se gripper*
to be up	*marcher*
a hang up	*un arrêt imprévu*
to hang up	*s'immobiliser*
to be fault-intolerant	*être susceptible aux pannes*
to be fault-tolerant	*être insensible aux pannes*
random failure	*une avarie erratique*
a deadlock	*un interblocage*
to track / to locate a mishap	*rechercher la panne*
fault finding	*la localisation d'anomalie*
fault control	*le contrôle d'avarie*
a fault detector	*un détecteur d'avarie*
a fault register	*un registre des avaries*
soft fail	*un arrêt gracieux après avarie*
an alertor	*un détecteur d'incident*
a fault detection circuit	*un circuit de détection d'anomalie*
a warning lamp	*un voyant d'alerte*
to black out	*se vider (écran)*
a keyboard lockup	*un blocage de clavier*
to lock up	*se bloquer*
wear	*usure*
wear and tear	*usure naturelle*
a wearout failure	*une défaillance par usure*
wearproof	
remote maintenance	
a wear compensator	*un compensateur d'usure*
to deactivate / to disable	*désactiver*
to overload	*saturer*
overloading	*la saturation*
to monitor	*surveiller*
a backup unit	*une unité de secours*
idle	*arrêté*
to flicker	*clignoter*
failure recovery	*la reprise après avarie*
a test run	*un essai de contrôle*
to overhaul	*(faire) réviser*
an overhaul	*une révision générale*
junk	*le rebut*
to junk	*mettre au rebut*
to upgrade	*améliorer la qualité / le rendement*
an enhancement	*une amélioration*
dependable quality / reliability	*la fiabilité*

4.7. Repairs — *Les réparations*

a malfunction report / a trouble report	*un rapport d'incident*
to repair	*dépanner*
to repair / to fix	*réparer*
repairing	*une intervention*
repair(s)	*la (les) réparation(s)*
emergency repairs	*réparations de fortune*
a repair manual	*un manuel de réparation*
repair time	*le temps de réparation*
awaiting repair time	*le délai de réparation*
repairable	*réparable*
out of repair / beyond repair	*irréparable*
a repair kit	*un nécessaire de réparation*
to be under repair	*être en réparation*
to be beyond repair	*être hors d'état*
to carry out repairs	*effectuer les réparations*
to do a repair job	*faire une réparation*
a repair sheet	*une feuille d'intervention*
output / capacity performance	*la capacité / le rendement*
out put per hour	*le rendement à l'heure*
to disconnect	*déconnecter*
reatraction	*le dégagement*
to disassembly / to disassemble / to take apart (USA) / to remove	*démonter*
to remove a part	*démonter une pièce*
a removal	*un démontage*
to strip	*dévêtir*
a stripper / a desuniter	*un dévêtisseur*
to dismantle	*démanteler*
dismantling	*le démantèlement*
to refinish	*remettre en condition*
refinishing	*la remise en condition*
to re-assembly	*remonter*
reassembly	*le remontage*
to refit	*remettre à neuf*
a refit	*une remise à neuf*
to refurbish	*rénover*
refurbishing	*la rénovation*

4.8. Debugging — *Le débogage*

debugging	*le débogage*
a tutorial (for debugging)	*un didacticiel (pour débogage)*
a tutorial display	*un terminal éducatif*
courseware / course software	*didacticiels*
an implementation course	*une mise en place*
enabling	*la mise en service*

disabling	*la mise hors service*
a bug	*une panne / un défaut / un bogue / un bug / une erreur informatique /*
a bug catalog	*un catalogue d'erreurs*
bug-ridden	*entaché d'erreurs*
bug shooting / debugging	*le débogage / le déverminage / la mise au point*
dump cracking	*le débogage par vidage*
bug diagnosis	*le diagnostic d'erreurs*
debugging aids	*outils de débogage*
undebugged	*non-débogué*
to debug	*mettre au point / corriger un programme / déboguer*
a debugger	*un programme débogueur / un utilitaire de débogage*
debugging aid / a debugging tool	*un outil d'aide à la mise au point de logiciels*
a debugging package	*un logiciel de correction d'erreurs / un logiciel de mise au point*
a debugging run	*un passage de mise au point*
debug failure	*défaillance initiale*
a debug module	*un module de mise au point*
a virus scanner	*un programme anti-virus*
a patch	*un pansement / un programme réparateur*
a bug patch	*une rustine / une correction provisoire de programme*
bug-free	*exempt d'erreurs*
a bug free program	*un programme mis au point*
an unbugged program	*un programme non corrigé*
bug migration	*la migration d'erreurs*
validity	*la validité*

Chapitre XXI

Computer Crime
Les délits informatiques

1. Computer piracy — *La piraterie informatique*

computer freak	*la piraterie informatique*
pirating	*le piratage*
a hacker	*un pirate (en informatique) / un mordu d'informatique*
hacking	*le piratage informatique / l'engouement pour les ordinateurs*
a cracker	*un pirate (avec intention de nuire)*
a software pirate / a cracker	*un pirate de logiciel*
a phreaker / a phone phreak	*un pirate informatique / un fraudeur aux communications*
a prankster	*un farceur*
a snoop	*un espion*
to hack into a computer	*pénétrer un système par effraction*
to gain access to a computer system	*obtenir l'accès à un système informatisé*
a con job	*un abus de confiance*
to crack a code	*trouver la clé d'un code*
to crack a password	*découvrir un mot de passe*
a token	*un mot-clé / un jeton*
to hack into / break in	*entrer par effraction*
a break in	*une intrusion*
unauthorized entry	*une effraction*
an unwanted intruder	*un intrus indésirable*
computer theft	*le vol à l'ordinateur*
copyright theft	*le vol de droits de reproduction*
duplication	*la reproduction*
to copy	*copier*
copying	*le copiage*
fraudulent	*frauduleux*

to bootleg software	*faire du trafic de programmes*
to tamper with information	*trafiquer les informations*
to get confidential information	*obtenir des renseignements confidentiels*
to tamper with bank accounts	*trafiquer les comptes en banque*
hacker bashing	*la chasse aux pirates*
a back door	*une porte de sécurité secrète*
a soft bomb / a worm	*une bombe (un programme destructeur) / un programme de destruction*
to bomb	*tomber en panne*
to activate a bomb	*amorcer une bombe*
a letter bomb	*un courrier piégé*
to clog a system	*encombrer un système*
to slow operations	*ralentir les opérations*
file scratch	*la destruction de fichiers*

2. Computer viruses — *Les virus informatiques*

a virus	*un virus*
a soft virus	*un virus logique*
a protection softvirus	*un virus logique honnête*
an unvirus	*un antivirus*
an intruder	*un intrus*
a clone	*une copie*
a time bomb	*une bombe à retardement / un virus qui se déclenche à une date donnée*
a Trojan horse	*un cheval de Troie (programme qui dissimule un virus ou une bombe logicielle)*
a strain of computer virus	*une variété de virus informatique*
to lie dormant	*être en sommeil*
to multiply	*se multiplier / proliférer*
trigger	*gâchette / élément du virus qui déclenche une infection une fois activé*
an electronic disease	*une maladie électronique*
an act of sabotage	*un acte de sabotage*
computer mischief	*la malveillance informatique*
to be stricken by a virus	*être victime d'un virus*
to lurk	*se cacher*
in the recess of a computer	*au plus profond d'un ordinateur*
to hide in the memory	*se cacher dans la mémoire*
to unleash an intruder	*lâcher un intrus (dans la nature)*
an infectious program	*un programme contagieux*
a rogue program	*un programme clandestin*
to spread (to)	*se répandre (à) / infecter*
to descend on...	*s'abattre sur...*

to be hit with...	*être frappé de...*
to harbor a virus	*dissimuler un virus*
to infect a computer	*infecter un ordinateur*
to activate a virus	*activer un virus*
a contagion	*une contagion*
a nuisance	*un fléau*

3. Infection — *L'infection*

to be in for a nasty surprise	*se préparer à une mauvaise surprise*
to be bent on destroying	*être résolu à détruire*
to be vulnerable to...	*être exposé à...*
self destruction	*autodestruction*
to damage	*nuire à...*
to destroy	*détruire*
to devastate	*dévaster*
to wreak havoc	*causer des ravages*
to erase / to delete	*effacer*
to strike	*frapper*
elusive	*insaisissable*
insidious	*insidieux*
pernicious	*pernicieux*
a self-replicating mechanism	*un mécanisme d'auto-reproduction*
to scramble the contents of a disc	*brouiller le contenu d'un disque*
to scramble records	*brouiller les archives*
to tamper with computer data	*trafiquer les données informatiques*
to interfere with data	*s'immiscer dans les données*
data destroying impact	*un impact destructeur sur les données*
to cause malfunctions	*provoquer des dysfonctionnements*
to shut off a program	*fermer un programme*
to get out of control	*se dérégler*
to be at a standstill	*s'immobiliser*
to grind to a halt	*s'arrêter progressivement*
to cancel out a program	*annuler un programme*

4. Prevention — *La prévention*

integrity	*intégrité (d'un système ou d'un logiciel)*
key verification	*le contrôle de clé*
system check	*le contrôle du système*
an audit flash	*un contrôle rapide*
a verifying device	*un dispositif de contrôle*

checking routine / director / a verifying program / tracing routine	*le programme de contrôle*
Safe Hex	*la sécurité informatique*
to raise disturbing questions	*soulever des questions troublantes*
a preventive measure	*une mesure de prévention*
to protect oneself from	*se protéger contre*
a reliable system	*un système sûr*
to escape detection	*échapper à la sagacité*
a virus-ridden version	*une version vérolée*
protection from a virus	*la protection contre un virus*
security	*la protection*
file protect	*la protection de fichier*
memory protection	*la protection de mémoire*
data security	*la protection des données*
wire protection	*la protection en écriture*
key protection	*la protection par clé*
password protection	*la protection par mot de passe*
unprotected	*non protégé*
a failsafe operation	*le fonctionnement à sécurité intégrée*
transmission reliability	*la sécurité de transmission*
data integrity	*la sécurité des données*
computer security	*la sécurité informatique*
safe computing practices	*pratiques informatisées sûres*
a fool-proof program	*un programme à toute épreuve*
to screen a disk for the presence (of)	*examiner un disque pour vérifier la présence (de)*
antiviral software	*logiciels antivirus*
an antiviral program	*un programme anti-virus*
to neutralize a virus	*neutraliser un virus*
to wall off a program	*protéger un programme*
to insulate a system	*protéger un système*
to purge the memory	*purger la mémoire*
to isolate a viral strain	*isoler une souche de virus*
to eradicate a virus	*extirper un virus*
to unvir	*dévéroler*
to rebuild files from scratch	*reconstituer les dossiers à partir de zéro*
a vaccine program	*un vaccin*
to bring back to health	*remettre en état*
to curb computer hacking	*enrayer le piratage informatique*

Chapitre XXII

Connectics
La connectique

1. Connectics — *La connectique*

1.1. The information age — *L'ère de l'information*

the global electronic village	*le village électronique global*
the age of the push-button	*l'ère du tout automatique*
to spread information	*disséminer l'information*
to share information with	*partager l'information avec*
to process information	*traiter l'information*
to deliver information	*acheminer l'information*
automatic transmission	*la transmission automatique des données*
information processing	*le traitement de l'information*
information processing equipment	*le matériel de traitement de l'information*
information handling	*le maniement de l'information*
to eliminate the disadvantages of distance	*supprimer les inconvénients de la distance*
the information explosion	*l'explosion de l'information*
the Federal Communications Commission (USA)	*organisme de contrôle des communications*

1.2. Connectivity — *La connectivité*

network engineering	*la connectique*
connectivity	*la connectivité*
global connectivity	*la connectivité planétaire*
full connectivity	*la connectivité complète*
peer-to-peer connectivity	*la connectivité de même niveau*

to connect	*connecter / se raccorder à / se connecter à*
connected	*en ligne / branché*
connective	*connectif*
connectable	*qui peut être raccordé*
interconnectable	*qui peut être connecté*
connectability	*la connectabilité*
a connection / a link	*une connexion / un lien*
a linkup / a hookup	*une liaison / une connexion / un couplage*
connection to a network	*connexion / couplage à un réseau*
to establish a connection between	*établir une connexion entre*
disconnection	*la déconnexion*
to disconnect	*déconnecter*
frame relay	*le relais de trames*

1.3. Connectivity products — *Le matériel de connectivité*

a connection box	*une boîte de jonction / de raccordement*
a connection cord	*un fil / câble de raccordement*
a connecting path	*un circuit de connexion*
a connection point	*une prise de raccordement*
a terminal connecting point	*un point de connexion*
a connection plug	*une fiche de raccordement*
a connection terminal	*une borne de raccordement*
a point-to-point connection	*une liaison bipoint*
a telephone connection	*une liaison téléphonique*
a user-to-user connection	*une liaison point-à-point*
a connector	*un connecteur*
to link to	*relier à / se relier à*
to link up / to hook up with	*relier / connecter*
to patch	*raccorder / connecter*
a patch	*un raccordement / une connexion*

1.4. Interconnectivity — *L'interconnectivité*

interconnectivity	*interconnexion*
to interconnect / to interlink	*s'interconnecter*
interconnectability	*interconnectabilité*
interconnection	*interconnexion*
linkable systems	*équipements connectables*
a connecting cable	*un câble de raccordement*
an optical fibre cable	*un câble à fibres optiques*
a coaxial cable	*un câble coaxial*
a shielded cable / a screened cable	*un câble blindé*

2. Communication — *La communication*

to communicate (information)	*communiquer (des informations)*
communications technology	*la technologie de la communication*
a means of communication	*un moyen de communication*
communication facilities	*équipements de communication*
a communications standard	*une norme de communication*
to communicate information	*communiquer des informations*
asynchronous communication	*la communication asynchrone*
synchronous communication	*la communication synchrone*
global communications	*communications planétaires*
satellite communication	*la communication par satellite*
voice communication	*la communication vocale*
a voice command	*une commande vocale*
a voiceprint	*une empreinte vocale*
paper-based communications	*messageries (support écrit)*
text communication	*la communication de textes*
wired communication	*la liaison câblée*
optical communications	*communications optiques*
computer communications	*la communication entre ordinateurs*
to have access to	*avoir accès à*
polling	*invitation à émettre*
a polling message	*un message d'interrogation*
selecting	*invitation à recevoir*
selecting calling	*un message d'invitation à recevoir*
to distribute	*distribuer*
to speed the information flow	*accélérer le débit des informations*
to electronicize	*installer des systèmes électroniques*
computer and communications (C&C)	*systèmes informatiques et télématiques intégrés*
a C&C system	*un réseau informatique et télématique intégré*
communicative equipment	*équipements capables de communiquer entre eux*
business communications	*la communication d'entreprise*
intracompany communications	*la communication intra-entreprise*
intercompany communication	*la communication inter-entreprises*
a communication procedure / a communication protocol	*une procédure / un protocole de communication*
workflow automaton	*la circulation contrôlée des documents*
Technical Documentation Management Systems (TDMS)	*la gestion électronique de documents (GED)*
automatic documentation	*la documentation automatique*
a transmission medium	*un support de transmission*
a mode of transmission	*un mode de transmission*
handshaking	*la transmission par témoin*
a handshake message	*un message d'établissement de liaison*

a baud	*un baud / une unité de vitesse de transmission*
an erlang	*un erlang / unité de mesure de l'intensité du trafic*
to conquer time / distance	*vaincre le temps / la distance*

3. Network — *Le réseau*

3.1. General background — *Généralités*

networking	*la création / la gestion de réseaux / la mise en réseau*
a network engineer	*un connecticien / un ingénieur de réseau*
to network	*interconnecter*
a telecommunication network	*un réseau de télécommunication*
an analog network	*un réseau analogique*
a network server	*un serveur de réseau*
an intelligent network	*un réseau intelligent*
a personal communication network	*un réseau personnel*
a switched network	*un réseau commuté*
to build a network	*construire un réseau*
to operate a network	*exploiter un réseau*
to put a network together	*construire un réseau*
to connect to a network	*se brancher sur un réseau*
to upgrade a network	*améliorer un réseau*
networking software	*logiciels de gestion de réseaux*
a network management system	*un système d'exploitation de réseau / de gestion de réseau*
a network manager	*un gestionnaire de réseau / un administrateur de réseau*
a node	*un nœud*
routing	*le routage / l'acheminement*
to route data over a network	*acheminer des données par l'intermédiaire d'un réseau*
to send information over a network	*transmettre des informations sur un réseau*
the Integrated Services Digital Network (ISDN)	*le Réseau Numérique à Intégration de Services (RNIS)*
an ISDN system	*un réseau RNIS*
an ISDN exchange	*un central RNIS*
an ISDN termination	*une prise RNIS (utilisateur)*
a value added network (VAN)	*un réseau à valeur ajoutée (RVA)*
a broadcast satellite	*un satellite de retransmission*
to install long distance service	*installer un service longue distance*
to connect	*relier*

3.2. Architecture — *L'architecture*

network architecture	*une architecture de réseau*
a computer network architecture	*une architecture de réseau informatisé*
a computer architecture	*une architecture des ordinateurs*
ARCNET	*ARCNET (architecture de réseau local)*
centralized architecture	*architecture centralisée*
distributed architecture	*architecture distribuée / répartie*
client-server architecture	*architecture client-serveur*
divided / distributed architecture	*architecture répartie*
external architecture	*architecture externe*
internal architecture	*architecture interne*
large parallel architecture	*architecture massivement parallèle*
multiprocessor architecture	*architecture multiprocesseur*
starred architecture	*architecture étoilée*
meshed architecture	*architecture maillée*
multilevel architecture	*architecture en couche*
open architecture	*architecture ouverte*
pipeline architecture	*architecture pipeline*
ring architecture	*un réseau en anneau*
a token ring	*un anneau à jeton*
a virtual ring	*un anneau virtuel*
standardized architecture	*architecture standard*
supercalar architecture	*architecture supercalaire*
supplier architecture	*architecture propriétaire*
unified architecture	*architecture unifiée*
a network architect	*un architecte de réseau*
a data system architect	*un architecte des systèmes d'information*
a data flow machine	*une machine à flux de données*
a data driven machine	*une machine conduite par les données*
a demand driven machine	*une machine conduite par les résultats*
a network buffer	*un tampon de réseau*
network front end	*frontal de réseau*
a level	*une couche*
a software layer	*une couche de logiciel*
coupling	*le couplage*

3.3. Modes — *Les modes*

a mode	*un mode*
access mode	*mode d'accès*
asynchronous mode	*mode asynchrone*
batch mode	*mode en traitement de lots*
burst mode	*mode rafale*

channel mode	*mode canal*
character mode	*mode caractère*
conversational mode	*mode conversationnel*
data communication mode	*mode de transmission*
delayed mode	*mode différé*
duplex mode	*mode duplex*
interactive mode	*mode interactif*
master mode / supervisor mode	*mode maître / mode superviseur*
multitasking mode	*mode multitâche*
off-line mode	*mode autonome / mode déconnecté / mode hors ligne*
on-line mode	*mode connecté / mode en ligne*
packet mode	*mode paquets*
problem mode	*mode problème*
protected mode	*mode protégé*
slave mode	*mode asservi / mode esclave*
transaction processing mode	*mode transactionnel*

4. Signals — *Les signaux*

4.1. General background — *Généralités*

a signal	*un signal*
an analog signal	*un signal analogique*
an anisochronous signal	*un signal anisochrone*
a baseband signal	*un signal en bande de base / un signal numérique*
a digital signal	*un signal numérique*
an isochronous signal	*un signal isochrone*
a sine signal	*un signal sinusoïdal*
signalling	*la signalisation*
multifrequency signalling	*la signalisation multifréquence*
multilevel signalling	*la signalisation multiniveau*
a signalling level	*un niveau de signalisation*
signalling speed	*la vitesse de signalisation*
frequency	*la fréquence*
sampling frequency	*la fréquence d'échantillonnage*
pure frequency	*la fréquence pure*
echo	*écho*
an echoplex	*un échoplex*
cross-talk	*diaphonie*
distortion	*la distorsion*
elementary time	*la durée élémentaire (d'un signal)*
sampling	*échantillonnage*
the sampling theorem	*le théorème d'échantillonnage*
an equalizer	*un égalisateur*
equalisation	*égalisation*
an emitter / a transmitter	*un émetteur*

data circuit-terminating equipment (DCE)	*équipement de terminaison de circuit de données (ETCD)*
a regenerative repeater	*un régénérateur*
a vocal unit	*une unité à réponse vocale*

4.2. Modulation — *La modulation*

amplitude modulation	*la modulation d'amplitude*
delta modulation	*la modulation delta*
frequency modulation	*la modulation de fréquence*
phase modulation	*la modulation de phase*
pulse code modulation (PCM)	*la modulation par impulsion et codage (MIC)*

4.3. Transmission — *La transmission*

analog transmission	*la transmission analogique*
digital transmission	*la transmission numérique*
asynchronous transmission	*la transmission asynchrone*
burst isochronous transmission	*la transmission asynchrone synchronisée*
base band transmission	*la transmission en bande de base*
duplex	*la transmission bi-directionnelle*
half duplex	*la transmission bi-directionnelle non simultanée*
full duplex	*la transmission bi-directionnelle simultanée*
parallel transmission	*la transmission en parallèle*
synchronous transmission	*la transmission synchrone*
simplex	*la transmission unidirectionnelle*
serial transmission	*la transmission en série*

Chapitre XXIII

Telecommunications
Les télécommunications

1. The telecommunications industry — *L'industrie des télécommunications*

to telecommunicate	*télécommuniquer*
mobile telecommunications	*télécommunications mobiles*
mobile-network equipment	*matériel de réseau mobile*
maritime telecommunications	*télécommunications maritimes*
a communication satellite / a comsat	*un satellite de communications*
a transmitter receiver	*un émetteur-récepteur*
a network management centre	*un centre de gestion du réseau*
a parabolic antenna	*une antenne parabolique*
a telecoms supplier	*une marque d'équipements de télécommunications*
a supplier of services	*un prestataire de services*
an information provider (IP)	*un fournisseur d'informations (bourses, météo, etc.)*
a telecommunications operator	*un exploitant de réseau de télécommunications*
a satellite operator / a satellite operation	*une compagnie de télédiffusion par satellite*
a direct satellite operator / a DBS operation	*un satellite à diffusion directe*
a cable operator / a cable operation	*un exploitant de réseau câblé*
a telecommunications carrier	*un exploitant de réseau de télécommunications*
a satellite deliverer	*un télédistributeur par satellite*
a cable deliverer	*un télédistributeur par câble*

a wireless network provider (mobile communications firm / cellular telephone company / micro-cellular operator	*un fournisseur de réseau sans fil (société de communications mobiles / compagnie de téléphones cellulaires / exploitant micro-cellulaire)*
approval	*agrément*
a wireless-phone network	*un réseau de téléphonie cellulaire*
cellular standards	*normes pour téléphones cellulaires*
to switch frequencies	*changer de fréquences*
a "world phone"	*un téléphone universel*
coverage	*la couverture*
Global System for Mobile Communications (GSM)	*norme de téléphone universelle*
to harmonize digital standards	*harmoniser les normes numériques*

2. Telecommunication services — *Les services de télécommunications*

electronic mail (e-mail)	*le courrier électronique*
an electronic mail network	*un réseau de courrier électronique*
an electronic message / an e-mail message	*un message électronique*
an e-mailer	*un usager du courrier électronique*
an electronic mail-box	*une boîte aux lettres électronique*
electronic in-tray	*la corbeille d'arrivée des messages*
electronic out-tray	*la corbeille d'envoi des messages*
audioconferencing	*l'audioconférence*
an audioconferencing system	*une installation d'audioconférence*
an audioconference	*une audioconférence*
teleconferencing	*la téléconférence*
a teleconference	*une téléconférence / une audioconférence*
a Confraphone (UK)	*un téléphone pour conférence*
Confravision (UK)	*la téléconférence*
videoconferencing	*la visioconférence*
a videoconferencing system	*une installation de visioconférence*
a videoconference	*une visioconférence*
a videoconference studio	*un studio de visioconférence*
to set up a videoconference	*organiser une visioconférence*
computer conferencing	*échange de messages par ordinateur*
micronet (UK)	*un réseau de communication pour utilisateurs de micro ordinateurs*
messaging	*la messagerie*
message switching	*la commutation des messages*
a dataphone	*un coupleur téléphonique*
telex (teleprinter and exchange)	*le télex*
to telex	*envoyer des messages par télex*
a telex / a twix / a twx	*un télex*

a telex directory	*un annuaire de télex*
a telex network	*un réseau télex*
a telex address	*un numéro de télex*
a telex operator	*un télexiste*
answer hold	*la mise en attente d'un appel*
an answer tone	*une tonalité de réponse*
answerback	*la réponse*
answer-back code	*indicatif*
to teleprint	*télexer*
a teleprinter	*un téléimprimeur*
ASR (automatic send/receive)	*un téléimprimeur émetteur/récepteur*
a telewriter / a teletypewriter / a teletype (TTY)	*un téléscripteur*
teletext / broadcast videography	*le télétexte*
teletype exchange	*la communication télex*
multiplexing	*le multiplexage*
to multiplex	*communiquer en multiplex*
a multiplexer	*un multiplexeur*
videotex	*le minitel*
fax transmission / electrofax	*la transmission par fax*
a facsimile machine	*une machine fax*
a fax line	*une ligne fax*
a facsimile transmitter	*un téléfax*
a facsimile terminal	*un terminal fax*
a dictaphone	*un dictaphone*
a picturephone	*un visiophone*
an electronic phone directory	*un annuaire électronique informatisé*
a video screen	*un écran vidéo*
a video display unit (VDU)	*unité à affichage vidéo*
video service	*la transmission d'image*
a video tape	*une bande vidéo*
a video terminal	*un terminal vidéo*
a call-in (USA) / a phone-in (UK)	*une émission avec intervention des auditeurs (radio ou télé)*

3. Audio communication — *La communication radio*

staff locating systems	*systèmes de localisation du personnel*
a public address system	*un système de sonorisation*
a loudspeaker / a speaker	*un haut-parleur*
radio-paging	*la radio-messagerie*
numeric / alphanumeric paging	*la radio-messagerie numérique / alphanumérique*
a paging system	*un système alphapage*
a paging beeper	*un téléavertisseur*
a paging receiver / a (radio) pager	*un radio-messager / un messageur*

a provider of paging services	*un prestataire de radio-messagerie*
a two-way radio / a walkie talkie	*un talkie-walkie*
an intercom / a buzzer	*un interphone*
a radio receiver	*un récepteur radio*
the Citizen's Band radio (CB)	*la CB*
a CB transceiver	*un émetteur-récepteur CB*
a CB operator / a CBer	*un cibiste*
a bleeper	*un bip*
a voice-recognition system	*un système à reconnaissance vocale*

4. Telematics — *La télématique*

data communication / information technology (IT) / compunication(s) / computer communication(s)	*la télématique*
telematic technology	*les techniques de la télématique*
a telematic service	*un service télématique*
teleinformatics / data communications (datacoms) / remote data processing (remote DP) / teleprocessing (TP)	*la télé-informatique*
a data communication system	*un système de transmission des données*
dataway	*inforoute*
a data bank	*une banque de données*
a data bank producer	*un producteur*
an on-line data service	*un serveur*
a broker	*un courtier (en données)*
a data block	*un bloc de données*
information retrieval	*la recherche de données*
to call up a database / to access a data bank	*consulter une banque de données*
data service	*la fourniture de données*
data transfer	*la transmission des données*
data path	*acheminement des données / la circulation des données*
a data link	*un chaînon de données*
data collection	*acquisition de données*
data link	*la liaison de données*
loop link	*la liaison en boucle*
multidrop link	*la liaison multipoint*
specialized data link	*la liaison spécialisée*
data degradation	*la dégradation des données*
videography	*la vidéographie*
videographics	*la vidéographique*
broadcast videography	*la vidéographie diffusée*

active videography / viewdata / videotex / interactive videotex	*la vidéographie dialoguée / le vidéotex*
videotext	*le vidéotexte / le télétexte*

5. Videotex systems — *Les réseaux vidéotex*

5.1. General background — *Généralités*

a videotex	*un vidéotex / un Minitel (France)*
a videotext system	*un réseau vidéotex*
a videotext terminal	*un terminal vidéotex*
a display unit	*un écran*
a keypad	*un clavier*
a page / a frame	*une page-écran*
Minitel	*le Minitel*
Prestel (UK)	*Télétel*
Prodigy (USA)	*le Minitel américain*
a data terminal / a viewdata terminal (UK)	*un terminal Minitel*
to plug a Minitel terminal into a telephone	*brancher un terminal Minitel sur une prise de téléphone*
to hook up a Minitel to a printer	*connecter un Minitel à une imprimante*

5.2. Minitel services — *Les services du Minitel*

public information services	*services d'information grand public*
to sell services, goods and information	*vendre des services, des biens et des informations*
to provide information	*fournir des renseignements*
to access information services	*consulter des services d'information*
a menu of services	*une liste de services*
to sell services over videotex	*vendre des services par vidéotex*
a pay-by-phone service	*un service de paiement téléphonique*
a supplier / provider of Minitel	*un prestataire de services sur Minitel*
a Minitel user / a Minitelist	*un usager du Minitel*
an information provider (IP)	*un service d'informations*
an electronic telephone directory	*un annuaire électronique*
an electronic noticeboard	*un bulletin électronique*
an electronic catalogue	*un catalogue électronique*
audiotext / videotext services	*services minitel*
audiotex	*audiotex / serveur vocal interactif*
audiovideotex	*audiovidéotex*
a database network	*un réseau de banques de données*

a newspaper database	*une base de données journalistique*
Viewtron / Sceptre / CompuServe / the Source (USA)	*bases de données journalistiques*
a Viewtron subscriber	*un abonné du Viewtron*
up-to-the-minute news	*nouvelles instantanées*
to call up a database	*consulter une base de données*
to tap into a database	*se connecter à une base de données*
horoscoping	*l'horoscope*
electronic games	*jeux électroniques*
dial-a-porn	*3615 code URSULA (le Minitel rose)*
an at-home trading system	*un service de Bourse à domicile*
to call up the prices of stocks	*consulter la valeur des actions*
shopping at home / home shopping / teleshopping	*le télé-achat*
electronic banking services / telebanking	*services bancaires électroniques*
paperless electronic payments	*virements électroniques*
to monitor an account	*surveiller un compte*
to save on clerical costs	*économiser les coûts administratifs*
electronic reservations / electronic booking services	*réservations électroniques*
to make an electronic reservation	*faire une réservation par Minitel*
a commission on a transaction	*une commission par transaction*

Chapitre XXIV

Telephony
La téléphonie

1. General background — *Généralités*

the postal-industrial complex	*le complexe postalo-industriel*
British Telecom (BT)	*les Télécoms britanniques*
a telephone directory / a phone book (USA)	*un annuaire téléphonique*
a classified directory	*un annuaire téléphonique par profession*
the Yellow Pages	*les pages jaunes*
the White Pages	*l'annuaire par rue*
a street directory	*un annuaire par rue*
ex-directory	*la liste rouge*
a telephone index	*un répertoire téléphonique*
dialling codes	*le code des indicatifs téléphoniques*
a dialling code booklet	*un guide des indicatifs téléphoniques*
a telecommunication company / a telephone company	*une compagnie du téléphone*
a phone worker	*un employé du téléphone*
a phone company technician	*un technicien des télécoms*
a subscriber	*un abonné*
a subscriber group	*un groupe d'abonnés*
public / private	*ouvert / fermé*
a teleport	*un téléport / une zone de communication avancée*
a mobile subscriber	*un abonné du radiotéléphone*
a phone junkie	*un drogué / une droguée du téléphone*
roaming (ability to use mobile telephony)	*autonomie téléphonique*
a telephone customer	*un abonné du téléphone*

telephone accounts	*la facture du téléphone*
an operator	*une opératrice*
to bill	*envoyer la facture*
to charge a subscriber	*envoyer la facture à un abonné*
to be billed	*être facturé*
a bill	*une facture*
an itemized bill	*une facture détaillée*
the duration of a call	*la durée d'un appel*
a call charge	*le montant d'un appel*
a unit charge	*une taxe de base*

2. Telephone services — *Les services des télécoms*

directory inquiries	*les renseignements*
Road Conditions	*le service de l'état des routes*
Travel Report	*Bison Fûté*
motoring conditions	*conditions de circulation*
Business News Summary	*nouvelles en bref*
the speaking clock	*l'horloge parlante*
Freefone	*le téléphone vert*
a Freefone number	*un numéro vert*
Monitel (UK)	*« Monnaietel » (appareil qui convertit le temps en unités taxées)*
IDD (International Direct Dialling)	*automatique international*

3. Phones — *Les téléphones*

3.1. Types of phones — *Les types de téléphones*

a telephone	*un téléphone*
a payphone / a payfone	*un téléphone public*
a coin-operated payphone	*un téléphone à pièces*
a card-operated telephone	*un publiphone à carte*
a call box / a phone booth	*une cabine téléphonique*
a telephone card / a phonecard	*une télécarte*
a prepaid card	*une carte prépayée*
a call director telephone	*un pupitre dirigeur*
a push button telephone	*un poste à clavier*
a handsfree telephone	*un poste main libre*
mobile telephony / cellular telephony	*la radiotéléphonie*
a cellphone	*un radiotéléphone*
a wireless phone	*un portable*
a cell-phone subscriber	*un abonné du portable*
a wireless-phone user	*un abonné du téléphone cellulaire*

alphanumeric paging	*appels alphanumériques*
a PCS phone / a digital phone (PCS = Personal Communications Services)	*un téléphone digital*
a coverage map	*une couverture géographique*
a cell	*une cellule*
hand-over / handoff	*le transfert automatique (d'une cellule à une autre)*
a cordless telephone	*un téléphone sans fil*
CT2 (Cordless Telephone second generation)	*téléphone sans fil de la deuxième génération*
a corded telephone / a fixed telephone	*un téléphone fixe*
a portable telephone / a hand portable telephone / a hand portable	*un téléphone portable*
a pocket telephone	*un téléphone de poche*
a security phone	*un téléphone à mémoire*
videophony	*la visiophonie*
a videophone / a viewphone / a picture phone	*un vidéophone*
radio-telephony	*la radio téléphonie*
a satellite telephone	*un téléphone par satellite*
a compuphone	*un téléphone informatisé*
a radio telephone	*un radio téléphone*
a scrambler phone	*un téléphone brouilleur*
a car phone	*un téléphone de voiture*
GSM (Global System for Mobile Communications)	*système de radio-communication dédié aux téléphones de voiture*
a keymaster phone	*un téléphone central*
an extension	*un poste / une ligne supplémentaire*
barred extensions / route restriction / level 9 access bar	*postes à usage restreint / interne*
a modem	*un modem*
an acoustic coupler	*un coupleur acoustique*
a teleterminal	*un téléterminal (ordinateur + téléphone)*
an acoustic hood	*une hotte acoustique*
to display	*afficher*

3.2. The telephone set — *Le poste de téléphone*

a housing	*un boîtier*
a dial	*un cadran*
a digit	*un chiffre*
a 9-digit number	*un numéro à neuf chiffres*
a keypad	*un clavier*
a button	*une touche*

a re-dialling button / a repeat button	*une touche de rappel*
an automatic last number re-dial	*une touche « bis »*
a mute button	*une touche sourdine*
a speed-dialling number	*une touche d'appel de numéro pré-enregistré*
touch control	*la tonalité de touche*
a telephone amplifier	*un haut parleur*
a security code	*un code de sécurité*
a 32-number memory	*une mémoire de 32 numéros*
volume control	*une touche de réglage du volume*
a base	*une base*
a receiver	*un récepteur*
an earpiece	*un pavillon d'écouteur / un écouteur*
a transmitter / a mouthpiece	*un microphone*
a receiver / a handset	*un combiné*
an acoustic coupler	*un coupleur acoustique*
a handset cord	*un cordon de combiné*
a speaker	*un haut parleur*
a gong	*un timbre*
a clapper	*un marteau*
a coil	*une bobine*
a varistor	*une varistance*
to lift the receiver	*décrocher*
to replace the receiver	*raccrocher*
a coin slot	*une fente à monnaie*
a coin return knob	*un bouton de remboursement*
a coin return bucket	*une sébile de remboursement*
a telephone cord	*un cordon de téléphone*
a twisted cord	*un cordon spiralé*
an armored cord	*un cordon à gaine métallique flexible*
a telephone socket	*une prise téléphonique*
wall mountable	*encastrable*

3.3. The cellular phone — *Le téléphone cellulaire*

a mobile cellular telephone	*un radiotéléphone / un téléphone cellulaire / un téléphone mobile*
an ultra light cellular phone	*un téléphone cellulaire ultra-léger*
compact	*compact*
lightweight	*léger*
a pack	*un pack*
on-screen menu system	*menu affiché à l'écran*
a battery	*une pile / batterie*
a long lasting battery	*une batterie longue durée*
a home charger	*un rechargeur de batterie*
talk time	*temps de conversation*
standby	*veille*

a car adapter	*un adaptateur pour voiture*
to plug into a cigarette lighter	*se brancher sur l'allume-cigare*
a leather carry case	*une housse en cuir*

3.4. The answering machine — *Le répondeur téléphonique*

an answering machine / an answer recording machine / an answer phone / an answerphone (US)	*un répondeur téléphonique*
a recorded message	*un message enregistré*
an answering service	*un service des abonnés absents*
a telephone message sheet	*une feuille de messages*
a microphone	*un micro*
the erase button	*la touche d'effacement*
on / play button	*la touche de mise en marche*
the rewind button	*la touche de rembobinage*
the fast forward button	*la touche d'avance rapide*
the listen button	*la touche d'écoute*
the stop button	*la touche d'arrêt*
the auto answer indicator	*le voyant de réponse automatique*
the calls indicator	*le voyant de réception des messages*
the incoming message cassette	*la cassette messages*
the outgoing announcement cassette	*la cassette annonce*

3.5. The modem — *Le modem*

a modem (modulator/demodulator)	*un modem (modulateur/démodulateur)*
an acoustic modem	*un modem acoustique / un coupleur acoustique*
an asynchronous modem	*un modem asynchrone*
a baseband modem	*un modem bande de base*
an external modem	*un modem externe*
a null-modem	*un null-modem / un modem eliminator*
a synchronous modem	*un modem synchrone*
automatic retransmission	*la ré-émission automatique*
a data compression protocol	*un protocole de compression des données*
an error correction protocol	*un protocole de correction d'erreurs*
receive / reception mode	*le mode réception*
a transmission mode	*un mode émission*
turnaround	*le retournement*
turnaround time	*le temps de retournement*
terminal emulation	*émulation de terminal*

automatic answering	*la réponse automatique*
a carrier	*une porteuse*
a bit rate	*un débit binaire*

4. Transmission — *La transmission*

4.1. Lines — *Les lignes*

a transmission system	*un système de transmission*
wireless transmission	*liaisons sans fil*
an optical fiber line	*une ligne à fibres optiques*
a microwave line	*une liaison par faisceaux hertziens*
an open wire line	*une ligne à découvert*
a fiber optical cable	*un câble à fibre optique*
optical fibers / fibres / fiber optic strands	*fibres optiques*
copper wires	*fils en cuir*
a fiber-optic channel	*un canal en fibre optique*
a twisted-pair cable	*un câble à paires torsadées*
a coaxial cable / a coax cable	*un câble coaxial*
an aerial cable	*un câble aérien*
an underground cable	*un câble souterrain*
an undersea cable	*un câble sous-marin*
a trunk cable	*un câble de jonction urbaine*
to lay cables	*installer des câbles*
to criss-cross a country	*quadriller un pays*
to connect cities	*relier les villes entre elles*
computer-connected	*relié par ordinateur*
wireless technology	*technologie sans fil*
a wiring system	*un système de connexions*
to wire the world	*connecter le monde*
a band	*une bande*
the broadband	*la bande large*
a spectrum	*un spectre*
MHz	*mégahertz (MHz)*
a channel	*un canal*
a frequency	*une fréquence*
to accommodate / to serve 96,000 subscribers	*servir 96 000 abonnés*
Subscriber Trunk Dialling (STD)	*l'automatique interurbain*
a telephone network	*un réseau téléphonique*
a local network	*un réseau local*
a junction network	*un réseau de raccordement*
a main network / a trunk network	*un réseau principal*
a telephone line	*une ligne téléphonique*
a trunk line	*une ligne interurbaine*
direct inward dialling / direct dialling in	*la ligne directe*

a private line	*une ligne privée*
a party line	*une ligne téléphonique commune*
a leased line	*une ligne en leasing*
a rented line	*la location d'une ligne*
a hot line	*une ligne rouge*
a secure line	*une ligne sûre*
grouped lines	*lignes groupées / groupe de lignes*
a channel group	*un groupe primaire (12 lignes)*
a supergroup	*un groupe secondaire (5 groupes primaires)*
a tertiary group	*un groupe tertiaire (5 groupes secondaires)*
a transmission group	*un groupe de transmission*
a connection	*une liaison*
to make a connection	*être relié*
to link	*joindre*
to go dead / to be cut off	*être coupé*

4.2. Switching — *La commutation*

a switching system / a switch	*un commutateur*
a switchover	*un commutateur automatique*
an autoswitch	*un autocommutateur*
automatic message switching	*la commutation automatique de messages*
an automatic switching centre	*un centre de commutation automatique*
a switching network / a switched net	*un réseau commuté*
a switch message net	*un réseau à commutation de messages*
switching time	*le temps de commutation*
time switching	*la commutation temporelle*
line switching	*la commutation de lignes*
message switching	*la commutation de messages*
circuit switching	*la commutation de circuits*
packet switching	*la commutation par paquets*
electronical switching	*la commutation électronique*
space switching	*la commutation spatiale*
temporal switching	*la commutation temporelle*
to switch a call to / to reroute a call to...	*diriger un appel vers...*
a telephone exchange	*un central téléphonique*
a local exchange	*un central local*
a trunk exchange	*un central interurbain*
a switchboard	*un standard*
automatic transfer	*le transfert automatique*
an operator	*une opératrice / une standardiste*
a private automatic branch exchange (PABX / PBX)	*un autocommutateur téléphonique privé*

multiplexing	*le multiplexage*
space-division multiplexing	*le multiplexage spatial*
time-division multiplexing (TDM)	*le multiplexage temporel*
a multiplex operation	*un multiplexage*
a multiplexer / a multiplexor	*un multiplexeur*
a data multiplexer	*un multiplexeur de données*

4.3. Making a call — *L'appel téléphonique*

to phone / to ring up / to call (up)	*téléphoner*
to give a call / to place a call / to make a call	*passer un coup de téléphone*
to place a call	*faire un appel*
to give a buzz	*passer un coup de fil*
a telephone connection	*une liaison téléphonique*
a call automaton	*un automate d'appel*
call letters / a callsign	*un indicatif d'appel*
call forwarding	*le transfert d'appel*
call hold	*le maintien en communication*
music on hold	*attente musicale*
a calling party	*un demandeur*
call diversion	*le détournement d'appel*
a call waiting signal	*un signal d'appel*
to call back	*rappeler*
to ring off	*raccrocher*
to hang up (on)	*raccrocher (au nez de)*
"Hold on" / "Hang on" / "Hold the line"	*« Ne quittez pas »*
to hold the line	*rester en ligne*
to put sb on hold	*faire patienter quelqu'un*
a hold jockey	*un animateur chargé de faire patienter (la clientèle d'une entreprise, par exemple)*
to put sb through	*passer quelqu'un*
to talk on the phone	*parler au téléphone*
to disconnect	*couper*
to be engaged	*être occupé*
to handle a call	*prendre un appel*
to trace a call	*localiser un appel*
on the phone	*au téléphone*
a delay	*une attente*
an area code / a prefix number	*un indicatif de région*
a code map	*une carte des indicatifs*
an access code	*un code d'accès*
a time zone	*un fuseau horaire*

4.4. Types of calls — *Les appels*

a caller / a calling party	*un demandeur*
a called person / a called party	*un correspondant*
directory inquiries (UK) / information (USA)	*les renseignements*
international directory inquiries	*les renseignements étrangers*
to call information	*appeler les renseignements*
a business call	*une communication professionnelle*
a person-to-person call	*un appel avec préavis*
a private call	*une communication personnelle*
a card callmaker	*une carte d'appel précomposé*
a credit card call	*un appel sur carte de crédit*
a cheap rate call	*un appel à tarif réduit*
a standard rate call	*un appel standard*
a peak rate call	*un appel plein tarif*
a nuisance caller	*un appel importun*
an obscene call	*un appel obscène*
an incoming call	*un appel d'arrivée*
an outgoing call	*un appel de départ*
an emergency call	*un appel d'urgence*
to make an emergency call	*appeler les secours (pompiers, police, ambulance)*
a recorded time message	*l'horloge parlante*
to call collect	*appeler en PCV*
a collect call / a reverse(d) charge call / a transfer charge call	*un appel en PCV*
to reverse the charges	*téléphoner en PCV*
a local call	*un appel local (inférieur à 56 km en UK)*
an intercontinental call	*une communication intercontinentale*
to call long distance	*faire un appel interurbain*
a long-distance call (USA) / a trunk call (UK) / a toll call / an inter-city call (USA)	*un appel interurbain*
a person-to-person call	*un appel personnel*
an 800-number call (USA) / a toll-free number	*un numéro d'appel gratuit / un numéro vert*
a wake-up call	*le réveil téléphonique*
an alarm call	*un réveil téléphonique*
call-waiting	*un appel en attente*
a callback / camp on busy	*le rappel (après libération d'un poste ou d'une ligne)*
an ADC call (Advise Duration and Charge)	*un appel dont la durée et le coût sont enregistrés*
a fixed time call (UK)	*un appel à heure fixe*
call not accepted	*appel refusé*
to unplug one's phone	*débrancher son téléphone*
off the hook	*décroché*

5. Phone numbers — *Les numéros de téléphone*

a numbering plan	*un plan de numérotation*
to call a number	*appeler un numéro*
to switch to a new telephone numbering	*changer de plan de numérotation*
telecommunications traffic	*le volume des communications*
a telephone call	*un appel téléphonique*
to be on the phone / to have a phone	*être abonné*
a phone number	*un numéro de téléphone*
to be in the book (the phone book)	*être dans l'annuaire*
to have an unlisted number / to be unlisted / to be ex-directory	*être sur liste rouge*
to go ex-directory	*se mettre sur la liste rouge*
a local number	*un numéro urbain*
an overseas number	*un numéro à l'étranger*
an unobtainable number	*un numéro impossible à obtenir*
an unobtainable tone	*« le numéro que vous avez demandé n'est plus attribué »*
a dial	*un cadran*
the dial tone / the dialling tone / the purring tone	*la tonalité*
to dial a number	*composer un numéro*
to dial direct	*appeler en direct*
a dialling code	*un indicatif téléphonique*
a dialling tone	*une tonalité*
abbreviated dialling	*indicatif abrégé*
to be engaged	*être occupé*
a dialer	*un usager du téléphone*
a ringing tone	*une sonnerie*
a busy signal / a busy tone / an engaged tone	*un signal occupé*
the line is busy	*la ligne est occupée*
an unobtainable number	*un numéro en dérangement / un numéro non attribué*
a wrong number	*un faux numéro*
misdialling	*erreur de numérotation*

6. Wiretapping — *Les écoutes téléphoniques*

to wiretap	*mettre sur table d'écoute*
wiretapping	*les écoutes téléphoniques*
a listening centre	*un centre d'écoute*
to tap sb's telephone / to bug a phone	*mettre un téléphone sur écoute*
a tapping warrant	*un mandat d'écoute*

a tapper	*une écoute*
a judicial phone tap	*une écoute légale*
an administrative tap	*une écoute administrative*
a wild / unofficial tap	*une écoute illégale*
to carry out a tap	*mettre sur écoute*
a bug	*un micro*
to eavesdrop on a call	*espionner un appel*
to listen in to a conversation	*écouter une conversation*
to overhear a conversation	*surprendre une conversation*
to intercept	*intercepter*
to record	*enregistrer*
to tape a phone conversation	*enregistrer une conversation téléphonique*

Chapitre XXV

Electronics
L'électronique

1. General background — *Généralités*

1.1. Applications — *Les applications*

an electronic application	*une application électronique*
the electronics industry	*l'industrie électronique*
microelectronics	*la microélectronique*
the scope of electronics	*l'étendue de l'électronique*
electronic data processing (EDP)	*l'informatique*
an electronic(s) engineer	*un ingénieur électronicien*
an electronics specialist	*un électronicien*
an electron	*un électron*
a carrier of energy	*un porteur d'énergie*
an electric charge	*une charge électrique*
a conduction / a free electron	*un électron libre*
a positron	*un électron positif*
a beta particle / ray / a negaton	*un électron négatif*
an electron stream	*un jet d'électrons*
an electronic component	*un composant électronique*
supraconductivity	*la supraconductivité*
broadcasting	*les communications*
a computer	*un ordinateur*
radar	*le radar*
television	*la télévision*
electronic mail / email	*le courrier électronique*
an electronic point of sale (EPOS)	*un point de vente électronique*
desktop publishing	*édition électronique*
electronics output	*la production électronique*
a key technology	*une technologie-clé*
to play a key role	*jouer un rôle-clé*
to program	*programmer*

1. 2. Raw materials and alloys — *Matières premières et alliages*

an alloy	*un alliage*
alloy steels	*aciers alliés*
beryllium	*le béryllium*
carbide	*le carbure*
cobalt	*le cobalt*
ceramic	*la céramique*
copper	*le cuivre*
crystal	*le crystal*
ferrite	*la ferrite*
soft ferrites	*ferrites doux*
magnetic ferrites	*ferrites magnétiques*
iron	*le fer*
moving iron	*le fer mobile*
iron core	*le noyau ferromagnétique*
glass	*le verre*
laminated	*feuilleté, laminé*
mercury	*le mercure*
metal	*le métal*
metal clad	*métallisé*
mu-metal	*le mumétal (alliage chrome + nickel + cuivre)*
mica	*le mica*
oxide	*oxyde*
paraffin	*la paraffine*
permalloy	*le permalloy (fer + nickel)*
platinum	*le platine*
polyester	*le polyester*
polymer	*polymère*
selenium	*le sélénium*
spun glass	*la laine de verre*
thoriated	*thorié*
titanium	*le titane*
tungsten	*le tungstène*
stainless	*inoxydable*
enamelled	*émaillé*
silver brazing	*la brasure à l'argent*
a core	*un noyau*

2. Gases — *Les gaz*

a noble / rare gas	*un gaz rare*
an occluded gas	*un gaz occlus*
an ideal / perfect gas	*un gaz parfait*
a rarefied gas	*un gaz raréfié*
active gas	*gaz actif*
an inert gas	*un gaz inerte / un gaz rare*

neon	*le néon*
freon	*le fréon*

3. Components — *Les composants*

3.1. Active components — *Les composants actifs*

to contain a source of power	*contenir une source d'énergie*
a vacuum tube	*un tube à vide*
a gas-filled tube	*un tube à gaz*
thyratron	*le thyratron*
to generate an electric signal	*produire un signal électrique*
a general purpose tube	*un tube universel*
rectification	*la rectification*
amplification	*amplification*
oscillation	*oscillation*
frequency changing	*changements de fréquences*
an anode	*une anode*
a plate	*une plaque*
a metal plate	*une plaque de métal*
anode current	*le courant plaque*
anode load	*la charge de plaque*
anode / plate current	*le courant anodique*
anode conductance	*la conductance de plaque*
anode dissipation	*la dissipation plaque*
anode rest current	*le courant de repos de plaque*
condenser load	*la charge capacitive*
an anode rectifier / a diode / a two-electrode tube	*une diode*
a diode bridge	*un pont de diodes*
a cathode	*une cathode / un filament*
a cathode beam	*un rayon cathodique*
cathode load / cathode follower	*la charge cathodique*
a diode	*une diode*
a triode	*une triode*
a tetrode	*une tétrode*
an input	*une entrée*
an output	*une sortie*
transit time	*le temps de montée*
a grid	*une grille*
an image tube / a picture / pix tube	*un tube image*
to generate a light image	*produire une image de lumière*
a cathode ray tube (CRT)	*un écran cathodique*
a television picture tube / a kinescope	*un tube de télévision*
a tube-type oscillator	*un tube oscillateur*
an electron gun	*un canon à électrons*
to generate an electron beam	*produire un faisceau électronique*

an electron tube	*un tube électronique (à vide)*
a double-beam tube	*un tube à deux faisceaux*
a beam deflection tube / a beam tube	*un tube à faisceau électronique dirigé*
a screen	*un écran*
a photoelectric tube	*un tube photoélectrique*
a microwave tube	*un tube à micro-ondes*
a transistor (transfer + resistor)	*un transistor*
a contact transistor	*un transistor à pointe*
a field effect transistor	*un transistor à effet de champ*
a unipolar transistor	*un transistor unipolaire*
a junction transistor	*un transistor à jonction*
a double base diode	*un transistor unijonction*
a frequency meter	*un fréquencemètre*
a thyristor / a silicon controlled rectifier	*un thyristor*
a MOS transistor (metal oxide semiconductor)	*un transistor MOS*
an amplifier	*un amplificateur*
a digital computer	*un ordinateur numérique*
an integrated circuit	*un circuit intégré*

3.2. Passive components — *Les composants passifs*

resistance	*la résistance*
capacitance	*la capacitance*
inductance	*inductance*
a unit of resistance	*une unité de résistance*
ohmage	*la résistance (grandeur)*
a resistor	*une résistance (pièce)*
a wire resistor	*une résistance bobinée*
a capacitor	*un condensateur*
a capacitor bank	*une batterie de condensateurs*
to store a charge	*stocker une charge*
a mica capacitor	*un condensateur en mica*
a ceramic capacitor	*un condensateur en céramique*
an electrolytic capacitor	*un condensateur électrolytique*
dielectric strength	*la force diélectrique*
an inductor	*un inducteur*
a magnet	*un aimant*
a magnetic field	*un champ magnétique*
an electromagnet	*un électro-aimant*
an electro-magnetic spectrum	*un spectre électromagnétique*
an air gap	*un entrefer*
a core	*un noyau*
a winding	*un bobinage / un enroulement*
a transformer	*un transformateur*
a varistor	*une varistance*
a rectifier	*un redresseur*
a thermistor	*un thermisteur*

3.3. Semiconductor devices — *Les semi-conducteurs*

a semi-conductor device	*un semi-conducteur*
semi-conductor / solid state	*semi-conducteur*
an electronic component	*un composant électronique*
integration	*intégration*
a transistor	*un transistor*
a bipolar transistor	*un transistor bipolaire*
a unipolar transistor	*un transistor unipolaire*
a switching transistor	*un transistor de commutation*
a contact transistor	*un transistor à pointe*
a field-effect transistor	*un transistor à effet de champ*
an integrated circuit	*un circuit intégré*
electrical resistivity	*la résistivité électrique*
a valence	*une valence*
elemental / intrinsic materials	*semi-conducteurs intrinsèques*
compound materials	*semi-conducteurs extrinsèques*
organic materials	*matériaux organiques*
amorphous materials	*matériaux amorphes*
semi-conductor properties	*propriétés semi conductrices*
electrical conductivity	*la conductivité électrique*
an electrical field	*un champ électrique*
beryllium	*le béryllium*
magnesium	*le magnésium*
zinc	*le zinc*
cadmium	*le cadmium*
boron	*le bore*
aluminium	*l'aluminium*
gallium	*le gallium*
gallium arsenide	*arsenic de gallium*
antimony	*antimoine*
germanium	*le germanium*
thallium	*le thallium*
carbon	*le carbone*
silicon	*le silicium*
lead	*le plomb*
arsenic	*arsenic*
sulfur	*le soufre*
bismuth	*le bismuth*

4. Circuitry — *Les montages*

4.1. Circuitry — *Le schéma*

circuitry / mounting	*le montage*
a shape	*une forme*
data	*les données*
upper	*supérieur*

lower	*inférieur*
even	*pair*
odd	*impair*
on	*en service, branché*
off	*hors service, coupé*
variable	*variable*
screened	*blindé*
back	*de dos / arrière / fond*
to fit	*équiper / monter*
a fixture	*un élément*
to link	*raccorder*
a link	*un lien, un raccord*
built-in	*incorporé*
a diagram	*un schéma*
digital display / read-out	*affichage numérique*
direction of rotation	*le sens de rotation*
display	*synoptique, affichage sur écran*
double way	*bidirectionnel, réversible*
one way	*unidirectionnel*
bidirectionnal	*bidirectionnel*
a ratio	*un rapport*
standard	*standard*
a specification	*une caractéristique*
run	*la marche / le défilement*
calibration	*étalonnage*
a strip chart recorder	*un enregistrement sur bande*
a slider	*un curseur*
a chart	*un tableau / un diagramme*
a drawing	*un dessin*
a cue	*un repère / une indication*
a manual	*un manuel*
flush mounting	*le montage encastré*

4.2. Types of circuit — *Les types de circuits*

solid logic technology	*le circuit à semi-conducteurs*
a time-delay circuit	*un circuit retardateur*
a power supply circuit	*un circuit d'alimentation*
a shunt circuit	*un circuit dérivé*
a closed circuit	*un circuit fermé*
an inductive circuit	*un circuit induit*
an open circuit	*un circuit ouvert*
open loop	*en boucle ouverte*
a complete / full circuit	*un circuit total*
a loop circuit	*un circuit en boucle*
a magnetic circuit	*un circuit magnétique*
a digital circuit	*un circuit numérique*
an OR circuit	*un circuit OU*
an AND circuit	*un circuit logique ET*
an integrated circuit	*un circuit intégré*

a control circuit	*un circuit de commande*
a monitoring circuit	*un circuit de surveillance*
a phantom circuit	*un circuit fantôme*

4.3. Current conversion — *La conversion du courant*

bias	*la polarisation*
a solenoid	*un solénoïde*
a solenoid valve	*une électro-valve*
solenoid winding	*enroulement solénoïdal*
a closed loop system	*un système en boucle fermée*
a rectifier	*un redresseur*
a half-wave / single-wave rectifier	*un redresseur monoanodique, un redresseur à une alternance*
a full-wave rectifier	*un redresseur biphasé / un redresseur à double alternance*
an inverter	*un onduleur*
a vibrator	*un vibrateur*
a multivibrator	*un multivibrateur*
a reducer	*un affaiblisseur*
a controller	*un combinateur*
a voltage regulator	*un régulateur de tension*
a filter	*un filtre*
a band filter / an electric wave filter / a stop-band filter	*un filtre de bande*
a band-pass filter	*un filtre passe-bande*
a chopper	*un découpeur*
to select / reject voltages	*choisir / rejeter les tensions*
to convert current	*convertir le courant*
a capacitor	*un condensateur*
a gate	*une entrée*
an amplifier	*un amplificateur*
amplification	*amplification*
coupling	*le couplage / accouplement / la connexion*
a coupler	*un coupleur*
feedback	*la contre-réaction*
an oscillator	*un oscillateur*
a variable frequency L-C oscillator	*un oscillateur à fréquence variable*
a fixed frequency oscillator	*un oscillateur à fréquence fixe*
a compandor	*un expanseur / compresseur*
a compensator	*un compensateur*
a commutator	*un commutateur*
a connexion	*une connexion*
a connector	*un connecteur*
a plug-in connector	*un connecteur enfichable*
a rheostat	*une résistance de réglage / un rhéostat*
resistance type	*rhéostatique*

a thermistance	*une thermistance*
solid state current breaking	*la coupure statique*
a solid state converter	*un convertisseur statique*
a resistor / a resistance	*une résistance*
a bias resistor	*une résistance de polarisation*
a zero arc resistance	*une résistance d'arc nulle*
a closing resistance	*une résistance de fermeture*
an inductive resistance	*une résistance inductive*
a voltage dependent resistor (VDR)	*une résistance VDR*
a control relay	*un relais de commande*
an electronic crossover	*un filtre séparateur*
a half wave rectifier	*un redresseur à une alternance*
a limiter	*un limiteur*

4.4. Transducers — *Les transducteurs*

an electro-acoustic transducer	*un transducteur électro-acoustique*
an acoustic pick-up	*un capteur acoustique*
an electrostatic microphone	*un microphone électro-statique*
a temperature sensor	*un capteur de température*
a thermocouple	*un thermocouple*
a resistance thermometer	*un thermomètre à résistance*
a chemical sensor	*un capteur chimique*
a conductivity cell	*une cellule de conductivité*
an optical sensor	*un capteur optique*

4.5. Circuit control operations — *Les commandes du circuit*

input / output (I / O)	*entrée / sortie*
a line	*une ligne*
an input stage	*un étage d'entrée*
an input terminal	*une borne d'entrée*
a load	*une charge*
a loop	*une boucle*
attack	*attaque (d'un circuit)*
on	*en marche / en circuit, relié*
on / off switch	*interrupteur*
off	*coupé / hors circuit*
output	*la sortie*
overflow	*le dépassement de la capacité*
overload	*la surcharge*
overmodulation	*la surmodulation*
overshoot	*le dépassement*
a Q factor	*un facteur de surtension*
power on	*la mise en route*
shorted	*court-circuité*
a shut-off	*une coupure*
start / stop	*le démarrage / l'arrêt*
to turn on / off	*mettre en marche / couper*

4.6. The electric signal — *Le signal électrique*

an order	*une instruction*
a source	*une source*
amplitude	*amplitude*
amplitude distortion	*la distorsion d'amplitude*
an amplitude factor	*un facteur de crête*
an amplitude limiter	*un limitateur d'amplitude / un écrêteur*
recurrent	*périodique*
a spark	*une étincelle*
a spectrum	*un spectre*
a pulse	*une impulsion*
a pulse coded modulation (PCM)	*une modulation par impulsions codées*
intensity	*intensité*
interference	*interférence*
an unwanted signal	*un signal parasite*
brightness	*la brillance*
light modulation	*la modulation de lumière*
to flicker	*scintiller*
flicker	*le scintillement*
scintillation	*la scintillation*
an oscilloscope	*un oscilloscope*
a screen	*un écran*
a burst	*une impulsion*
a clisk	*un déclic, un clic / un enclenchement*
contact	*le contact*
a cell	*une cellule*
a photo cell	*une cellule photo-électrique*
a photomultiplier	*un photomultiplicateur*
photo electric	*photoélectrique*
distortion	*la distorsion*
audio	*audio*
impedance	*impédance*
an impedance curve	*une courbe d'impédance*
impedance matching	*adaptation d'impédance*
transconductance	*la pente*
damping	*amortissement*
a damping factor	*un facteur d'amortissement*
an impulse / a pulse	*une impulsion*
an impulse wave	*une onde de choc*
an impulse integrating counter	*un compteur d'impulsions*
a pulse amplifier	*un amplificateur d'impulsions*
a pulse transformer	*un transformateur d'impulsions*
a pulsing sequence	*un train d'impulsions*
an incidence	*une incidence*
infrared	*infrarouge*
demodulation	*la démodulation*

a dynamic range	*une capacité dynamique*
flutter	*la fluctuation, le scintillement*
flux	*le flux*
foolproof	*indéréglable*
friction	*le frottement / la friction*
to gang	*jumeler, aligner*
glow	*la lueur*
hangover	*le traînage*
headroom	*la tolérance*
heat	*la chaleur*
arcing voltage	*la tension d'arc*

5. Fabrication techniques — *Les techniques de fabrication*

5.1. General background — *Généralités*

a wafer	*une tranche*
a silicon wafer	*une tranche de silicium*
doping	*le dopage*
a dopant	*un dopant*
epitaxy	*épitaxie*
a hole in the dioxide layer	*un trou dans la couche de dioxyde*
alloying	*alliage*
the alloying process	*le processus d'alliage*
to refine the semiconductor material	*raffiner le matériau semi-conducteur*
to solder	*souder*
a contact	*un contact*
a collector	*un collecteur*
the base width	*la largeur de la base*
impurity profile	*le profil d'impureté*
ion implantation	*l'implantation d'ions*
masking	*le masquage*
photoresist	*le photoresist / la photorésine / la résine photosensible*
etching	*la gravure*
chip separation	*la séparation du micro-processeur*
the metal-oxide semiconductor technique (MOS)	*un transistor de type MOS*
a coating	*une couche*
to apply a coating	*appliquer une couche*

5.2. Wear and tear — *L'usure*

reliability	*la fiabilité*
a marker	*un marqueur*
a manufacturer / a maker	*un fabricant, un constructeur*

permeability	*la perméabilité*
porous	*poreux*
damp-proof	*imperméable*
to spray paint	*peindre au pistolet*
to cleanse	*décaper*
a coat	*une couche*
a finishing coat	*une dernière couche*
a break-up	*une cassure*
a crack	*une fissure*
a coating	*un enduit*
damage	*la détérioration*
a failure	*un défaut*
guarantee	*la garantie*
guard	*la protection*
lethal	*mortel*
maintenance	*la maintenance / l'entretien*
ageing	*le vieillissement*
an ageing test	*un test de vieillissement*
a running test	*un essai de vieillissement*
rustproof	*inoxydable*
safety	*la sécurité*

Netslang
L'argot du Net

Term	**Meaning**
	A
abend	*abnormal ending of a program*
AI-complete	*an impossibly hard problem*
app	*application*
	B
back door	*a hole in a security system*
bagbiter	*a program that works badly*
bamf	*bad-ass mother fucker*
banana problem	*a program that ends badly*
bare metal	*new application*
barfulous	*sickening*
baroque	*too complex*
bboard	*electronic bulletin board*
beam	*electronic transfer of files*
beige toaster	*a Mac*
bells and whistles	*additional features added*
beta	*new experimental*
BFI	*brute force and ignorance*
BIFF	*a newbie*
big iron	*an expensive computer*
bigot	*attached to one language*
bitbashing	*low-level programming*
bit bucket	*where destroyed data goes*
bit decay	*programs that stop working*
bit twiddle	*useless modifications*
bitty box	*too small a computer*
bixie	*smiley*
black art	*secret design techniques*
black hole	*where email disappears to*
black magic	*mysteriously operational*
blast	*to send large data*
blivet	*intractable problem*
bogo-sort	*a very bad algorithm*
bogon	*something that works badly*
bogosity	*the degree of working badly*
bogus	*false, incorrect, mistaken*
boink	*a USENET party*
bounce	*an undelivered email that comes back to the sender*
bozotic	*stupidly humorous*
brain-dead	*stupidly malfunctioning*
brittle	*easily broken when its environment changes*
broken arrow	*error in a program*
brute force	*primitive programming*
bulletproof	*robust*
bump	*to increment*
buried treasure	*hidden code*
buzz	*to appear never to finish*

C

canonical	*standard*
case and paste	*adding a new feature adapted from an already used one*
catatonic	*hung*
chemist	*number cruncher*
choke	*to input stupidly*
chrome	*attractive features added to a program*
clobber	*to overwrite*
content-free	*with no new information*
core	*RAM*
cowboy	*hacker, geek*
cracker	*a person who breaks computer security*
crash and burn	*to crash in a spectacular way*
crawling horror	*an old application still working*
crayola	*a super PC*
crippleware	*software with something important missing*
crock	*a bad software feature*
cross-post	*to send a message to several newsgroups at the same time*
crudware	*low quality freeware*
cruft	*bad (engineering, software)*
crumb	*two bits, a quad*
to crunch	*to process painfully (numbers)*
cryppie	*cryptographer, hacker*
cusby	*well written, often used (program)*
cybercrud	*technical verbiage*
cyberpunk	*computer science fiction*
cycle crunch	*too many users of the same computer*
cycle server	*a powerful workstation*

D

daemon	*a hidden program waiting to be conjured up*
Datamation	*an imaginary computer magazine*
de-rezz	*to disappear from the screen*
deckle	*ten bits*
deep magic	*a secret hidden technique in a program*
deep space	*when a program has broken down, it's in deep space*
delta	*a small quantity*
demented	*badly designed*
demigod	*experienced hacker*
deprecated	*out of date, obsolete*
diddle	*to manipulate or change amateurishly*
dike	*to take away something*
dink	*a small computer*
dinosaur	*an old mainframe*
dodgy	*unreliable*
dogwash	*an unimportant task*
domainist	*pertaining to Internet addresses*
dongle	*a copyright protection device*
doorstop	*obsolete devices*
down	*out of order*
dragon	*a hidden program*
drunk mouse	*an out of order mouse*
dumped down	*simplified*
dynner	*32 bits*

E

Easter egg	*hidden message in object code*
elephantine	*badly designed (programs)*
epsilon	*a very small quantity*
evil	*badly designed*

F

fascist	*highly protected (system)*
featurectomy	*removal of a feature from a system*
firebottle	*primitive machine*
flag	*a bit*
flaky	*prone to failure*
flamage	*angry messages*
flame war	*dispute in a news group*
flat	*insufficiently complex*
flush	*delete data*
flyspeck	*very small font*
foo	*anything discussed*
fora	*news groups*
forked	*slow*
fred	*f...ridiculous electronic device*
frednet	*an unusual network protocol*
frob	*a small object*
frobnitz	*a physical object or an item of data*
frowney	*smiley*
fry	*to fail*
fudge	*bad programming*
fuggly	*very funky*
funky	*badly written but functional*

G

gedanken	*not practical*
gensym	*neology*
glitch	*power breakdown*
go flatline	*to break down*
gotcha	*a system full of bugs*
grind	*to run on for ever, to crunch, to grovel*
gritch	*to complain*
grok	*to understand*
gronk	*to cut, to break*
grovel	*to labour incessantly*
gubbish	*nonsense*
guiltware	*shareware made with hard labour*
to gun	*to put an end to a program*
guru	*an expert*

H

hack	*to work hard at*
hacker	*an expert, a dishonest computer engineer*
hairy	*difficult to understand*
hakspek	*a shorthand of spelling*
hamster	*a clever piece of computer code*
hardwired	*programs that cannot be easily modified*
hat	*the circumflex*
heisenbug	*a bug that disappears or changes when one tries to look at it*
hex	*a set of six*
hexit	*hexadecimal digit*
hog	*programs that use too much of a system's resources*
holy wars	*flame wars about religion*
home box	*a PC*
hose	*cables*
hungus	*difficult to use*

I, J, K

ice	*security application*
icebreaker	*application used to hack a system*
infinite loop	*a neverending loop*
iron	*old-fashioned hardware*
jaggies	*the staircase effect in computer graphics*
jiffy	*instant*
juggle eggs	*to remain cool while programming*
KISS	*keep it simple silly*

L

lase	*to print out with a laser*
legal	*following the rules*
letterbomb	*a virus attached to an email*
logic bomb	*a virus in a program waiting to be activated*
lose	*to fail*
lossage	*the consequences of a system error*

M

mandelbug	*a bug too complex to understand*
meme	*an idea, a belief*
miabug	*a bug that has become useful*
to monkey up	*to combine hardware for a specific task*
MOTAS	*member of the appropriate sex*
MOTOS	*member of the opposite sex*
MOTSS	*member of the same sex*
munch	*to crunch, to do long operations*

N

nanobot	*microscopic robot*
nastygram	*virus sent with an email*
net police	*people who control the ethics on the Net and are prepared to start a flamewar to punish offenders*
netnews	*USENET software or content*
netrock	*a flame*
network meltdown	*too much traffic on the Net*
noddy	*useless program*
nonlinear	*unpredictable, chaotic*
notwork	*a network that has crashed*
nuke	*to destroy a programm, file or system*
number-crunching	*calculating*
nybble	*4 bits*

P

pain in the net	*a person sending flames*
parse	*to analyse a sentence*
patch	*to add a piece of code*
phreaking	*breaking into security systems*
playte	*16 bits*
ponytails	*creative art directors*
post	*to send a message via a list*
Potato Server	*a slow server*
profile-digger	*matchmaker, a woman looking for a rich husband*
programmer's butt	*pains from sitting long hours in front of a computer*
QA pukes	*quality control testers*

R

re-start up	*a company which fails but is capable of starting all over again*
RFR	*Really Fucking Rich*
RTFM	*Read the Fucking Manual*

S

scarecrow technology	*uninteresting software*
schedule-driven	*software that must be delivered by a particular date*
self-starter	*program that doesn't need orders to operate*
SEP	*a bug*
sheeple	*sheep people who follow the trend without thinking*
shelfware	*useless uninteresting software that remains on the shelf*
shovelware	*badly designed CD-ROMs*
skeet	*obsolete computer or handheld device*
SLIRK	*Smart Little Rich Kid*
Smoke Test	*if a circuit does not burn when tested for the first time, it has passed the smoke test*
sneakernet	*copying data on a disc and taking it to another computer*
spaghetti code	*badly written incomprehensible code*
start up	*a new high tech company*
STBY	*Sucks to be You, used when a person makes big mistakes*

T

team player	*an engineer who lacks initiative and originality*
techno-babble	*jargon that is incomprehensible*
three A.M. code	*unorthodox software*
TLA	*Three Letter Acronym, useless function or department*
tofu	*general, not for any specific use*
torpedo	*unproductive person*

V, W, X, Y, Z

vaporware	*software or hardware that has been advertised yet is not available*
VRBS	*Virtual Reality Bull Shit, technology that is unrealistic*
waldo	*a demonstration disc for a product with little or no interest or originality*
worder	*a person who uses a PC for test only*
WOMBAT	*Waste Of Money Brains And Time*
zapping	*simple programming*

Smileys

Pour écrire un smiley (aussi appelé souriant), on utilise les signes de ponctuation ; pour lire les smileys, on incline la tête de 90 degrés. Les smileys peuvent se combiner les uns avec les autres pour donner des smileys plus longs à déchiffrer.

:-)	sourire
;-)	sourire ironique
:-(	pas drôle
:*)	ivre
:-)-8	grande fille
8:-)	petite fille
:-@	cris
:-&	motus et bouche cousue
:-*	bisou
:-X	gros bisou
:-)	J'ai la pêche, je suis content
:->	Je rigole beaucoup
:-)))	Je me fends vraiment la pêche, je suis très content
:-D	J'ai un très grand sourire
;-)	Je fais un clin d'œil
:-(	Je suis triste, fâché
:-[	Je boude, je suis vexé
:-C	Je suis vraiment très fâché
:-|	journée ordinaire, je suis indifférent
:-'	Je siffle
:-/	Je suis sceptique
=<:-)	Je vous trouve insensé
d:-)	Je vous tire mon chapeau
:-O	Je suis étonné
:-P	Je tire la langue
:----)	Je ne vous crois pas, vous êtes un menteur
:-@	Je jure de dire la vérité
:-#	Je me suis mal exprimé
:-...	J'ai le cœur brisé
:'-(	Je pleure
:'-)	Je pleure de joie
|-)	Je m'endore
|-o	Je ronfle
|-O	Je baille
|-I	Je me suis endormi

:-x	L'interlocuteur aurait mieux fait de se taire

Les smileys concernent également les occupations ou des informations

<table>
<tr><td>:-)>-o</td><td>L'interlocuteur est médecin (avec stéthoscope)</td></tr>
<tr><td>+:-)</td><td>L'interlocuteur est prêtre</td></tr>
<tr><td>--:-(</td><td>L'interlocuteur est un rocker punk</td></tr>
<tr><td>-=#:-)</td><td>L'interlocuteur est magicien</td></tr>
<tr><td>:-$</td><td>L'interlocuteur est banquier</td></tr>
<tr><td>:-[</td><td>L'interlocuteur est un vampire</td></tr>
<tr><td>[:]</td><td>L'interlocuteur est un robot</td></tr>
<tr><td>:-:</td><td>L'interlocuteur est un mutant</td></tr>
<tr><td>0-)</td><td>L'interlocuteur est un cyclope</td></tr>
<tr><td>*-)</td><td>L'interlocuteur est un cyclope qui s'est pris un coup dans l'œil</td></tr>
<tr><td>0:-)</td><td>L'interlocuteur est un ange</td></tr>
<tr><td>%-|</td><td>L'interlocuteur a travaillé toute la nuit</td></tr>
<tr><td>$-)</td><td>L'interlocuteur a gagné beaucoup d'argent</td></tr>
<tr><td>X-(</td><td>L'interlocuteur est décédé</td></tr>
<tr><td>:-&</td><td>L'interlocuteur mange des spaghettis</td></tr>
<tr><td>(:)-)</td><td>L'interlocuteur fait de la plongée sous-marine</td></tr>
<tr><td>d:-)</td><td>L'interlocuteur joue au baseball</td></tr>
<tr><td>!|:-()</td><td>L'interlocuteur joue au baseball et s'est pris une batte en pleine figure</td></tr>
<tr><td>8:-)</td><td>L'interlocuteur est une petite fille</td></tr>
<tr><td>:-)-8<</td><td>L'interlocuteur est une grande fille</td></tr>
<tr><td>oO:-)&</td><td>L'interlocuteur est une grand-mère</td></tr>
<tr><td>~:@</td><td>L'interlocuteur est un bébé avec une tétine</td></tr>
</table>

Les smileys concernent également les descriptions physiques

P-)	L'interlocuteur porte un bandeau
?-(	L'interlocuteur a un œil au beurre noir
:^)	L'interlocuteur s'est fait casser le nez
.-)	L'interlocuteur est borgne
:^)	L'interlocuteur a un grand nez
(:-)	L'interlocuteur est chauve
&:-)	L'interlocuteur a les cheveux bouclés
{:-)	L'interlocuteur a une raie au milieu
#:-)	L'interlocuteur est mal coiffé
(-)	L'interlocuteur a besoin d'aller chez le coiffeur
:-{~	L'interlocuteur porte une barbe
:-{)	L'interlocuteur porte une moustache
:-))	L'interlocuteur a un double menton
:-'	L'interlocuteur fume
:-7	L'interlocuteur fume la pipe

<table>
<tr><td>:--|</td><td>L'interlocuteur a attrapé un rhume</td></tr>
<tr><td>:-{}</td><td>L'interlocutrice a mis du rouge à lèvres</td></tr>
<tr><td>:-(=)</td><td>L'interlocuteur a de grandes dents</td></tr>
<tr><td>:-#</td><td>L'interlocuteur porte un appareil dentaire</td></tr>
<tr><td>[:-)</td><td>L'interlocuteur porte un baladeur (walkman)</td></tr>
<tr><td>@:-)</td><td>L'interlocuteur porte un turban</td></tr>
<tr><td>/:-)</td><td>L'interlocuteur porte un béret</td></tr>
<tr><td>(D:-)</td><td>L'interlocuteur porte une casquette</td></tr>
<tr><td>:-)>////></td><td>L'interlocuteur porte une cravate</td></tr>
<tr><td>:-)8</td><td>L'interlocuteur porte un nœud papillon</td></tr>
</table>

Les smileys concernent également les états d'âme

<table>
<tr><td>:-%</td><td>Je suis malade</td></tr>
<tr><td>(O--<</td><td>Je soupçonne quelque chose</td></tr>
<tr><td>:*)</td><td>L'interlocuteur est ivre</td></tr>
<tr><td>#-)</td><td>L'interlocuteur a fait la fête toute la nuit et a la gueule de bois</td></tr>
<tr><td>*|</td><td>"Oh, quel beau coucher de soleil!"</td></tr>
<tr><td>t :-( )</td><td>"Tu m'as marché sur le pied"</td></tr>
<tr><td>:-( )</td><td>Je me suis cogné le pied</td></tr>
<tr><td>...---...</td><td>SOS</td></tr>
<tr><td>:-|</td><td>Ce n'est pas drôle</td></tr>
<tr><td>{}</td><td>Sans commentaire</td></tr>
<tr><td>@*&$!%</td><td>M... à tous</td></tr>
</table>

Les smileys décrivent des personnages célèbres

<table>
<tr><td>*<:-)</td><td>Père Noël</td></tr>
<tr><td>:-')</td><td>Cindy Crawford</td></tr>
<tr><td>:-.)</td><td>Madonna</td></tr>
<tr><td>+-(:-)</td><td>le Pape</td></tr>
<tr><td>%-)</td><td>Elephant Man</td></tr>
<tr><td>5:-)</td><td>Elvis Presley</td></tr>
<tr><td>8:-)</td><td>Walt Disney</td></tr>
<tr><td>:/7)</td><td>Cyrano de Bergerac</td></tr>
<tr><td>:-=(</td><td>Adolphe Hitler</td></tr>
<tr><td>C|:-=</td><td>Charlie Chaplin</td></tr>
<tr><td>=|:-)=</td><td>Abraham Lincoln</td></tr>
<tr><td>EK)</td><td>Frankenstein</td></tr>
<tr><td>]B-)</td><td>Batman</td></tr>
<tr><td>3:-)</td><td>Bart Simpson</td></tr>
<tr><td>(|(</td><td>Robocop</td></tr>
<tr><td>(-o-)</td><td>The Fighter Imperial (Star Wars)</td></tr>
<tr><td>=0==</td><td>Un Mexicain sur une voie ferrée</td></tr>
</table>

Les smileys décrivent des animaux

:3-<	un chien
8:]	un gorille
:=8)	un baboin
:8)	un cochon
t=====:]	un serpent
=:x	un lapin

Acronymes

A

ATA	Average Time Access
ACE	Advanced Computing Environment
ACK	Acknowledge
ACL	Access Control List
ACU	Automatic Call Unit
A/D	Analog to Digital
ADP	Automatic Data Processing
AFCEE	Association Française pour le Commerce et les Échanges Électroniques
AFNOR	Association française de normalisation
AI	Artificial Intelligence
AIX	Advanced Interactive eXecutive
ALGOL	ALGOrithmic Language
ALU	Arithmetic and Logic Unit
ANSI	American National Standards Institute
APT	Automatically Programmed Tools
ARP	Address Resolution Protocol
ARPA	Advanced Research Projects Agency
ARPANET	Advanced Research Projects Agency Network
ASCII	American Standard Code for Information Interchange
ASIC	Application Specific Integrated Circuit
AT	Advanced Technology
ATM	Asynchronous Transfer Mode
AT & T	American Telephone & Telegraph co
AUI	Attachment Unit Interface

B

BA	Bus Available
BASIC	Beginners All-purpose Symbolic Instruction Code
BBS	Bulletin Board Service / System
BC	Binary Code
BCD	Binary Coded Decimal
BCPL	BASIC Compiled Programming Language
BCR	Bar Code Reader
BD	Base de Données
BIF	Brute Force and Ignorance
BIOS	BASIC Input/Output System
BIT	Binary Digit
BNC	British Naval Connector
BOF	Beginning Of File
Bpi	Bits per inch
BPM	Bits per minute
BPS	Bits Per Second
BR	Bus Request
BS	Backspace Character
BSA	Business Software Alliance
BSC	Binary Synchronous Communication
BW	BandWidth

C

CAD	Computer-Aided Design
CADD	Computer-Aided Design and Drafting
CAE	Computer-Aided Engineering
CAFE	Common Access for Everybody
CAL	Computer-Aided Learning
CALL	Computer-Aided Language Learning
CAM	Computer Aided Manufacturing
CAN	Cancel
CAR	Contents of Address Register
CAS	Communication Application Standard
CBT	Computer Based Training
CD	Compact Disc
CD-ROM	Compact Disc Read Only Memory
CD-I	Compact Disc Interactive
CDS	Continuous Document Streaming
CDU	Central Display Unit
CEFACT	Centre for Facilitation of Procedures and Practices for Administration, Commerce and Transport (UNO)
CEN	Comité européen de normalisation
CENELEC	Comité européen de normalisation électronique
CGA	Colour Graphic Adapter
CGI	Computer Graphic Interface / Common Gateway Interface
CHRP	Common Hardware Reference Platform
CIM	Computer Integrated Manufacturing
CIMOS	Complementary Metal Oxyde Semiconductor Transistor
CISC	Complex Instruction Set Computer
CIX	Commercial Internet Exchange
CLI	Command Line Interpreter
CLOS	Common Lisp Object System
CLUT	Color LookUp Table
CLV	Constant Linear Velocity
CM	Central Memory
CMI	Computer Managed Instructions
CMIS	Common Management Information Service
CMOS	Complementary Metal Oxide Semiconductor
CMY	Cyan Magenta Yellow
CMYK	Cyan Magenta Yellow blacK
CNA	Certified NetWare Administrator
CNC	Computer Numerical Control

CNIL	Commission nationale de l'informatique et des libertés
COBOL	Common Business Oriented Language
COMAL	Common Algorithmic Language
Comdex	Communication and Data Processing Exposition
CORE	(Internet) Council of Registrars
COS	Corporation for Open System
CPI	Character Per Inch
CPM	Critical Path Method
CPS	Characters Per Second
CPU	Control Processing Unit
CR	Carriage Return
CRC	Cyclic Redundancy Check
CRISC	Complex Reduced Instruction Set Computer
CRT	Cathode Ray Tube
CSCL	Computer Supported Cooperative Learning
CSCW	Computer Supported Cooperative Work
C-SET	Chip-Electronic Secure Transaction
CSLIP	Compressed Serial Line IP
CSMA	Carrier Sense Multiple Access
CSMA/CD	Carrier-Sense Multiple Access with Collision Detector
CSO	Computer Services Office
CTI	Computer Telephony Integration
CTP	Computer to plate
CTS	Clear To Send
CU	Control Unit
CUSI	Configurable Unified Search Index

D

D/A	Digital/Analog
DA	Desk Accessory
DAB	Digital Audio Broadcasting
DAC	Digital to Analog Converter
DAL	Data Access Language
DAM	Data Access Manager
DAT	Data Audio Tape
DB	Data Base
DBE	Data By Example
DBF	Data Base File
DBMS	Data Base Manager System
DC	Direct Current
DCB	Device Control Block
DCC	Digital Compact Cassette
DCD	Data Carrier Detect
DCF	Document Composition Facility
DCI	Display Control Interface
DCL	Data Control Language
DCOM	Distributed Component Object Model
DCS	Data Communication Service
DCT	Discrete Cosine Transform
DD	Double Density
DDE	Dynamic Data Exchange / Direct Data Entry / Direct Date Entry
DDK	Device Development Kit
DDL	Data Definition Language
DDN	Defense Data Network
DDS	Digital Data Storage
DES	Data Encryption Standard
DFT	Distributed Function Terminal
DFT	Diagnostic Function Test
DGIS	Direct Graphics Interface Specification
DHCP	Dynamic Host Configuration Protocol
Dhtml	Dynamic hypertext markup language
DIB	Device Information Block
DIF	Data Interchange Format
DIL	Dual In Line
DIX	Digital, Intel, Xerox
DLL	Dynamic Link Libraries
DMA	Direct Memory Access
DMI	Desktop Management Interface
DML	Data Manipulation Language
DNC	Direct Numerical Control
DNS	Domain Name Server
DOD	Digital Optical Disk
DoD	Department of Defense
DOS	Disk Operating System
DP	Data Processing
DPI	Dots Per Inch
DPM	Device Partition Map
DPMI	Dos Protected Mode Interface
DRAM	Dynamic Random Access Memory
DRCS	Dynamic Redefinable Character Set
DS	Double Side
DSA	Distributed System Architecture
DSP	Digital Signal Processor
DSR	Data Set Ready
DSS	Decision Support Software
DSSD	Double Side Single Density
DSVD	Digital Simultaneous Voice and Data
DTA	Direct Transit Area
DTE	Data Terminal Equipment
DTMF	Dual Tone Multi-Frequency
DTP	DeskTop Publishing
DTR	Data Terminal Ready
DTV	Dead Tree Version
DVC	Digital Video Cassette
DVD	Digital Video Disk
DVI	Digital Video Interface
DYM	Day Year Month

E

E-mail	Electronic Mail
E-zine	Electronic (maga-)Zine
EBCDIC	Extended Binary Coded Decimal Interchange Code
EBES	European Board for EDI Standardization
Ecash	Electronic cash
ECC	Error Correction Code
ECM	Error Correction Mode
ECR	Efficient Consumer Response
EDAC	Error Detection and Correction
EDC	Error Detection Code
EDI	Electronic Data Interchange
EDIFACT	Electronic Data Interchange for Administration, Commerce and Transport
EDO	Extended Data Out
EDT	Échange de données techniques

EEMS	Enhanced Expanded Memory Specification
EEPROM	Electronically Erasable Programmable Read Only Memory
EFI	Échange de formulaires informatisés
EFT	Electronic Fund Transfer
EISA	Enhanced Industry Standard Architecture
EITO	European Information Technology Observatory (Observatoire européen des technologies de l'information)
ELF	Extremely Low Frequency
EM	End of Medium
EMB	Extended Memory Block
EMB	Expanded Memory Board
EMI	Electromagnetic Interference
EMM	Expanded Memory Manager
EMOD	Erasible Magneto Optical Disk
EMS	Expanded Memory Specification
ENIAC	Electronic Numerical Integrator and Calculator
EOB	End Of Block
EOD	End Of Data
EOF	End Of File
EOI	End Of Identity
EOJ	End Of Job
EOT	End Of Tape / End Of Transfer
EPIC	Electronic Privacy Information Center
EPP	Enhanced Parallel Port
EPROM	Erasable Programmable Read Only Memory
EPS	Encapsulated PostScript
EPSF	Encapsulated PostScript Format
ES	Expert System
ESC	Escape
ESDI	Enhanced System Device Interface
ETB	End of Transmitted Block
ETSI	European Telecommunications Standards Institute
ETX	End-of-Text
EVC	Enhanced Video Connector

F

FAQ	Frequently Asked Questions
FAT	File Allocation Table
FCB	File Control Block
FDD	Floppy Disk Drive
FDDI	Fiber Distributed Data Interface
FDEU	Fixed Disk Extension Unit
FDHD	Floppy Disk High Density
FDX	Full DupleX
FEM	Finite Element Method
FF	Form Feed
FFT	Fast Fourier Transform
FL	Feed Line
Flop	Floating Point Operation Per Second
FMV	Full Motion Video
FORTRAN	FORmula TRANslator
FPP	Floating Point Processor
FQDN	Fully Qualified Domain Name
FS	File Separator
FSK	Frequency Shift Keying
FTP	File Transfer Protocol
FYI	For Your Information

G

GDI	Graphic Device Interface
GEM	Graphic Environment Manager
GHz	gigahertz
GID	Group IDentification
GIF	Graphic Interchange Format
GIGO	Garbage In Garbage Out
GIPS	Gillion Instructions Per Second
GKS	Graphic Kernel System
GII	Global Information Infrastructure
GND	Ground
GPS	Global Positioning System
GSM	Global System for Mobile Communications
GUI	Graphic User Interface

H

HAL	Human Access Language
HC	High Capacity
HD	High Density
HD	Hard Disk
HDD	Hard Disk Drive
HDLC	High-level Data Link Control
HDM	High Dos Memory
Hz	Hertz
HF	High Frequency
HFS	Hierarchical File System
HITS	Hyperlink-Induced Topic Search
HLS	Hue Lightness Saturation
HMA	High Memory Area
HMD	Head Mounted Display
HPFS	High Performance File System
HSB	Hue Saturation Brightness
HSL	Hue Saturation Luminance
HSV	Hue Saturation Value
HT	Horizontal Tabulation
HTML	HyperText Markup Language
HTTP	HyperText Transmission Protocol
HTTPS	HyperText Transmission Protocol Secure

I

IAB	Internet Architecture Board
IAE	In Any Event
IAHC	Internet International Ad Hoc Committee
IANA	Internet Assigned Numbers Authority
IBM	International Business Machines
IC	Integrated Circuit
ICI	Image Compression Interface
ICMP	Internet Control Message Protocol
ICR	Intelligent Character Recognition
ID #	Identification Number
IDE	Integrated Drive Electronics
IETF	Internet Engineering Task Force
IGBP	insulated gate bipolar transistor
IIS	Internet Information Server

IITF Information Infrastructure Task Force
IMAP Internet Message Access Protocol
IMHO In My Humble Opinion
I/O Input/Output
InterNIC Internet Network Information Center
IOW In Other Words
IP Internet Protocol / Internet Packet
IPL Information Processing Language
IPX/SPX Internetwork Packet Exchange/Sequenced Packet Exchange
IPXODI Internetwork Packet Exchange Open Data-Link Interface
IRC Internet Relay Chat
IRL In Real Life
IRQ Interrupt Request
ISA Industry Standard Architecture
I.S.B.N International Standard Book Number
ISDN Integrated Services Digital Network
ISO International Standards Organization
ISOC Internet Society
ISP Internet Service Provider
ITU International Telecommunications Union

J, K

JCL Job Control Language
JPEG Joint Photographic Experts Group
K Kilo
KB Kilobytes
KIPS Kilo Instructions Per Second
KIS Knowbot Information Service
KSU Key System Unit

L

L8R Later
LAN Local Area Network
LASER Light Amplification by Simulated Emission of Radiations
LCD Liquid Crystal Display
LF Line Feed
LIFO Last In First Out
LIPS Logical Interface Per Second
LISP LISt Processing
LLC Logical Link Control
LLL Low Level Language
LPI Lines Per Inch
LQ Letter Quality
LQP Letter Quality Printer
LSB Least Significant Bit
LSI Large Scale Integration
LU Logical Unit
LUN Logical Unit Number

M

M Mega
MAC Media Access Control
MB / Mb Megabyte
MCAE Mechanical Computer Aided Engineering
MCB Memory Control Block
MCGA Memory Control Gate Array
MCI Media Control Interface
MCR Magnetic Card Reader
MDTR Maximum Data Transfer Rate
MDU Magnetic Disk Unit
MFLOPS Millions of Floating Point Operations Per Second
MHz megahertz
MIB Management Information Base
MIDI Musical Instrument Digital Interface
MIME Multipurpose Internet Mail Extensions
MINX Multimedia Information Network Exchange
Mips Millions of Instructions Per Second
MISC Minimum Instruction Set Computer
MJPEG Moving Joint Pictures coding Expert System
MDK Multimedia Developers Kit
MLI Multiple Link Interface
MMU Memory Management Unit
MNP Microcom Network Protocol
Modem MODulator-DEModulator
MOO Multi-user Object Oriented
MOPS Millions of Operations Per Second
MOS Metal-Oxyde Semiconductor
MPC Multimedia PC
MPEG Moving Picture Expert Group
MPI Multiple Protocol Interface
MSB Most Significant Bit
MSD Most Significant Digit
MS-DOS MicroSoft Disk Operating System
MSN MicroSoft Network
MT Magnetic Tape
MTBE Mean Time Between Errors
MTBF Mean Time Between Failures
MTTR Mean Time To Repair
MTU Magnetic Tape Unit
MUD Multi User Domain
MYD Month Year Day

N

NAK Negative AcKnowledgement
NC Numerical Control
NC Network Computer
NCP Network Control Protocol
NDIS Network Driver Interface Specifications
NET-BIOS Network BASIC Input/Output System
NFS Network File System
NFT Network File Transfer
NIC Network Interface Card / Network Information Center
NLP Natural Language Processing
NLQ Near Letter Quality
NMOS Negative Metal Oxide Semi-conductor
NNTP Network News Transfer Protocol
NOC Network Operating Center
NOS Network Operating System
NPI Network Provider Interface
NPL Non Procedural Language

NREN	National Research and Educational Network
NRN	No Reply Necessary
NS	Nanosecond
NSA	National Security Agency
NSFNET	National Science Foundation Network
NT	New Technology
NTI	nouvelles technologies de l'information
NTIA	National Telecommunications and Information Agency
NTP	Network Time Protocol

O

OCLC	Online Computer Library Catalog
OCR	Optical Character Recognition
ODI	Open Data-link Interface
OIS	Office Information System
OIT	Organisation internationale des télécommunications
OLE	Object Linking and Embedding
ONC	Open Network Computing
OOPS	Object Oriented Programming System
OOUI	Object Oriented User Interface
OPA	Online Privacy Alliance
OPS	Operation Per Second
OS	Operating System
OSD	On Screen Display
OSI	Open System Interconnection
OSI-RM	Open Systems Interconnection-Reference Model
OTOH	On The Other Hand

P, Q

P-mail	Physical mail
PAD	Packet Assembler-Disassembler
PC	Personal Computer
PCL	Printer Control Language
PCN	Personal Computer Network
PCX	PiCture eXchange
PDA	Personal Digital Assistant
PDL	Printer Description Language
PDS	Processor Direct Slot
PDU	Protocol Data Unit
PET	Personal Electronic Transaction
PGP	Pretty Good Privacy
PIA	Peripheral Interface Adapter
PICS	Platform for Internet Consent Selection
PID	Process Identification
PIF	Programme Information File
Pin	Personal Identification Number
PINE	Programme for Internet News and E-mail
PING	Packet Internet Groper
PIO	Programmed Input Output
PIPO	Parallel Input/Parallel Output
Pixel	Picture Element
POP	Point Of Presence / Post Office Protocol
POS	Point Of Sale
PPP	Point to Point Protocol
PROLOG	PROgramming in LOGic
PROM	Programmable Read-Only Memory
PS	Process Status
PS	Personal System
PSW	Process Status Word
PU	Physical Unit
QBE	Query By Example

R

RAM	Random Access Memory
RAS	Remote Access Service
RB2	Reality Built for Two
RD	Received Data
RDOD	Recordable Digital Optical Disk
REPROM	Reprogrammable Read Only Memory
RET	Resolution Enhanced Technology
RFC	Request For Comments
RFD	Request for Discussion
RFS	Remote File Sharing
RGB	Red Green Blue
RI	Ring Indicator
RIFF	Raster Image File Format
RIP	Raster Image Processor / Routing Information Protocol
RISC	Reduced Instructions Set Computer
RJE	Remote Job Entry
RLE	Run Length Encoding
RLL	Run Length Limited
RNIS	Réseau numérique à intégration de services
ROM	Read Only Memory
RPC	Remote Procedure Call
RPG	Report Programme Generator
RQBE	Relational Query By Example
RS	Record Separator
RSA	Rivest, Shamir, Adleman
RTF	Rich Text Format
RTOS	Real Time Operating System
RTS	Request To Send
RTXT	Rich Text
R/W	Read/Write

S

SAA	Systems Application Architecture
SADT	Structured Analysis and Design Technique
SAPI	Speech Application Programming Interface
SCL	Scanner Computing Language
SCS	société de commercialisation de services
SCSI	Small Computer System Interface
SCU	Store Control Unit
SD-DVD	Super Density Digital Video Disk
SDK	Software Digital Kit
SDLC	Synchronous Data Link Control
SDS	Standard Dump Standard
SET	Secure Electronic Transaction

SGML	Standard Generalised Mark up Language
SIG	Special Interest Group
SIMM	Single In-Line Memory Module
SISO	Serial Input/Serial Output
SLIP	Serial Line Internet Protocol
SMD	Storage Module Device
SMP	Symetrical Multi-Processing
SMS	Systems Manager Server
SMTP	Simple Mail Transfer Protocol
S/N	Signal to Noise
SNA	Systems Network Architecture
SNMP	Simple Network Management Protocol
SO	Shift Out
SOH	Start Of Heading
SONET	Synchronous Optical NETwork
SPA	Software Publishers Association
SQR	Structured Query language
SR	Status Register
SRAM	Static Random Access Memory
SRQ	Service ReQuest
SSDD	Single Sided Double Density
SSL	Secure Socket Layer
STP	Shielded Twisted Pair
STX	Start of Text

T

TAD	Telephone Answering Device
TAC	Terminal Access Controller
TAPI	Telephone Application Programming Interface
TCP	Transmission Control Protocol
TCP/IP	Transmission Control Protocol/ Internet Protocol
TD	Transmit Data
TDMA	Time Division Multiplexing Access
TELEX	TELeprinter and EXchange
TELNET	TELetype NETwork
TIA	Thanks In Advance
TLA	Three Letters Acronym
TLI	Transport Layer interface
TOC	Table Of Contents
TOP	Technical and Office Protocol
TPI	Tracts Per Inch
TRAM	TRANsputer Module
TS	Time Sharing
TTL	Transistor Transistor Logic

U

UAE	Unrecoverable Application Error
UAM	User Authentification Method
UC	Upper Case
UDF	User Define Function
UDP	User Datagram Protocol
UHF	Ultra High Frequency
UIC	Universal Image Code
UID	User IDentification
UIT	Union internationale des télécommunications
Unix	Uniplexed Information and Computer Service
UPS	Uninterruptable Power System
URL	Universal Resource Locator
USASCII	USA Standard Code for Information Interchange
USD	User Data Protocol
User ID	User Identification
UTP	Unshielded Twisted Pair
UUCP	Unix to Unix Copy

V

VAN	Value Added network
VCR	Video Cassette Recorder
VDI	Virtual Device Interface
VDM	Vectorial Draw Mode
VDP	Video Display Processor
VDT	Video Display Terminal
VDU	Visual Display Unit
VEOS	Virtual Environment Operating System
VHF	Very High Frequency
VLF	Very Low Frequency
VLM	Virtual Load Module
VMM	Virtual Memory Management
VOSIM	VOice SIMulation
VRAM	Video Ram
VRML	Virtual Reality Modelling Language
VS	Virtual Storage
VT	Vertical Tabulation
VTR	Video Tape Recorder

W, X, Y, Z

WAIS	Wide Area Information Server
WAN	Wide Area Network
WWW / W3	World Wide Web
WIMP	Window Icon Mouse Pointer
WinSock	Windows Socket
WMRM	Write Many Read Many
WOOD	Write Once Optical Disk
WORM	Write Once Read Many
WP	Word Processor
XT	Extended Technology
YAHOO	Yet Another Hierarchically Organized Oracle
YMCK	Yellow Magenta Cyan blacK
YR	YeaR
Y2K	Year 2000
ZD	Zero Defect
Zif	Zero Insertion Force

Achevé d'imprimer en janvier 1999 par Normandie Roto Impression s.a., 61250 Lonrai
N° d'impression : 983214 – Dépôt légal : janvier 1999